LOCUS

LOCUS

LOCUS

LOCUS

Smile, please

smile 56

天上掉下來的禮物

Oh My God, It's a Baby

作者：劉銘

責任編輯：韓秀玫　美術編輯：何萍萍

法律顧問：全理法律事務所董安丹律師

出版者：大塊文化出版股份有限公司

台北市105南京東路四段25號11樓

讀者服務專線：0800-006689

TEL：(02) 87123898　FAX：(02) 87123897

郵撥帳號：18955675　戶名：大塊文化出版股份有限公司

www.locuspublishing.com

行政院新聞局局版北市業字第706號

總經銷：大和書報圖書股份有限公司

地址：新北市新莊區五工五路2號

TEL：(02) 89902588 (代表號)　FAX：(02) 22901658

製版：瑞豐實業股份有限公司

初版一刷：2004年 1 月

初版二刷：2011年10月

定價：新台幣 200 元

ISBN 986-7600-34-7

Printed in Taiwan

Oh My God, It's a Baby
天上掉下來的禮物

劉銘 著

天下父母心

◎夏瑞紅（中國時報副刊浮世繪版主編）

佛家勸人互相親愛時，常說人人是我們的「過去父母」，也是「未來佛」。因爲是「父母」，所以應該感謝、服事；因爲是「佛」，所以必須尊敬、祝福。

且不看背後關於生命輪迴的堂奧，以及人間緊密相依的微妙，這話似乎也在說，明白父母恩，便能更添一份與人親愛的動力，而人之所以能眞心成全別人，其實正是爲了報答父母恩。

想想，對父母恩的體會可不是人間大愛小愛的基礎？否則，爲什麼「媽咪」、「寶寶」、「爹地」會一直是古今中外戀人間最愛的暱稱？爲什麼人會呼求「天父」？會尊稱土地爲「母親」？過去我不確定世上有所謂博愛精神，自從忝爲人母之後，現在只要一想到人人都有個媽，就完全能「開悟」

人人皆珍寶的「甚深至理」，也對宗教家描述的、天主基督阿拉佛菩薩愛人的大能與大願，有了具體的想像依據。至於，爲什麼要當好人、做好事、建立美好社會、促進世界和平？這道理還不簡單——這樣才不負天下父母心呀！

天下父母心說來是最堅韌也是最溫柔的心。佛家說修行「六度」：佈施、持戒、忍辱、精進、禪定、智慧，我看人若眞能好好當一回父母，就「六度總修」了。可不是嗎？爲兒女不惜肝腦塗地是佈施，日夜謹愼身教是持戒，所有忤逆操心都甘之如飴是忍辱，鍥而不捨、深心盼望是精進，挫折失望仍無怨無悔不動搖是禪定，永遠欣賞珍惜並祝福是智慧。

偏偏天下父母心卻是最常被辜負的心。因爲，父母心一向時時刻刻、無微不至，一如呼吸，反而讓人幾乎忘了它的存在；因爲，當兒女的總要到「養兒方知父母恩」，奈何一養了兒，人生立刻陷入水深火熱，有時連好好吃頓飯、睡個覺都不可求，等熬到兒女翅膀稍硬、終於能抽身回頭好好看看父母的時候，往往已是「樹欲靜而風不止」。

另外，或許也因爲，修了六度的父母不是「欲訴已忘言」，就是不會寫文章，以至天下父母心心底悲欣交集的千絲萬縷，一直難被世人所識。近日細讀好友劉銘寫的爸爸經，我頗有感觸、感動外，更有感謝。

感謝劉銘以眞摯的態度、生動的文筆，讓天下父母心默默沉埋的喜怒哀樂、酸甜苦辣得以「出土」，也讓天下兒女有了漫溯父母心路恩情的地圖指南。

我很榮幸能做劉銘的朋友，親眼看他從一個努力出人頭地的青年，成長爲熱情鼓舞別人、造就別人的不凡人物，現在又升格爲爸爸大人，邁向人生的新境界。劉銘文采飛揚，但總得以口述請人幫忙打字、煞費辛苦，才能「寫」成一篇文章，由於文章「寫」來不易，他更是句句注意、篇篇用心。基於以上兩個「鐵證」，您可以放心，劉銘的爸爸經絕對好看，也絕對不只好看而已。

好太太容易，好媽媽難爲

◎劉亮亮的媽媽

一向對於寫作就不擅長，所以寫文章令我腸枯思竭，腦袋經常一片空白。然而，這本書宛若我們一家三口的家庭寫眞，總希望身爲其中成員的我，能夠在盡點心力。

本以爲只要全心全意照顧老公這個大朋友，使其生活起居無所牽掛，就算是成功扮演了「好太太」的責任。而亮亮這位小朋友的誕生，完全不在人生的規劃之中。尤其，年過四十之後，體力明顯有差，這時又多了「好媽媽」的角色。

猶記產後當護士抱小孩給我看時，我便問老公，會不會抱錯了？因爲既不像我也不像他。而知道女兒血型是O型時，而我們各是B型、A型，我又問了一次，會不會抱錯了？（後來才知道是我們自己搞不清楚，這樣的機率是四分之一）當夜闌人靜女兒哭鬧不停時，還是忍不住要想：「會不會抱錯了？」因爲我們倆都沒那麼「番」。

唯一讓我釋懷與減壓的，是老公的耐心陪伴，他從未說過一句負面的話，只希望我凡事多往好處想。走過這些日子，漸漸的我才知道，原來「好媽媽」是磨出來的，而且，我更發覺自己的體力與耐力，已在不知不覺間大大的延伸了。

現在，爲了照顧亮亮，難免顧此失彼，忽略了老公。我相信，我會摸索出一套好方法，既能兼顧做「好媽媽」，也能是個稱職的「好太太」。

老來得女，是周遭親友的異數。我們有位好友，在亮亮出生後不久，有一天，她告訴我，她去我生產的那家婦產科檢查不孕症，一次需花費兩千多元，好貴啊！

沒想到，我們生小孩，點亮了許多沒有小孩或不孕症的人，爲他們帶來了希望，這應該也算是一種造福運動吧！因爲，連「坐輪椅」都能生了，他們只不過是胖了一點，爲什麼不能生呢？另外，我們那麼老都能生，他們還算年輕，爲什麼不能生呢？

謝謝姊姊一家人，從懷孕到生產，幾乎天天報到；連一向不善表達感情的弟弟，也時常出現協助。彷彿讓大家全都動員了起來，也讓我們感受大家滿滿的愛。

這篇序言，是在亮亮的哭鬧聲中，斷斷續續完成的，如果寫得不好，亮亮要負大半的責任，因爲我的責任，就是好好的照顧這兩位大小朋友。

自序：歡迎劉亮亮

彷彿一場夢，直到今日我仍這麼認爲。

尤其，每當看望著這位「親密的陌生人」，清透勻燦的肌膚，秀麗可人的模樣，這種感覺便會湧上心頭。我不只一次的告訴、催眠自己：「她是我的女兒。」

如果結婚後不久，像大多數的夫妻一樣懷孕，我想這一切就會被視爲理所當然、順理成章。然而，在我們結婚七年後，已不抱任何的希望之下；在我們夫妻兩人都已年過四十，體力明顯不如前的情形之下，這樣的老來得女，一切就變得不是那麼的理所當然，順理成章了。

從懷孕初期開始，我就意識到未來的日子，老婆將付出所有的時間與體力來照顧小孩，而我，一個雙手都受到小兒痲痺症影響的重度障礙者，在行動的照顧方面，必定是心有餘而力不足。那麼，光是賺錢養家是不夠的，我還能付出什麼？

於是，我想到利用尚能操作正常的幾根手指，握著筆，爲老婆從懷孕至產後，一字一字做紀錄。在書寫的過程中，奇妙的事情發生了，寫著自已的童年往事，成長歷程中的許多幾乎已不可能會想到的情事或畫面，竟然一一浮現，歷歷在目。

寫著寫著，有時會心一笑，有時又老淚縱流。我發覺女兒打從在娘胎之內，與現在成爲嬰兒之時，我們之間便有一股神秘的力量牽引，她讓我能夠勇敢檢視過去，眺望未來，並將我的今生今世與她連結在一起。

這是始料未及的收穫。

有人說，無須爲孩子的未來憂煩掛慮，因爲他們自備「糧草」來到這個世界，我發覺女兒還不只於此，她更帶來了許多「幸運之神」。

感謝大弟劉鈞，倪寒芬夫婦，送了一個大大的禮物，支付了亮亮剖腹產，坐月子，滿月酒這三項最「大條」的費用，減輕了我們的負擔。

小弟劉鎧、杜亞陵夫婦，送了一個價値不斐的名床，害得亮亮原有專屬的小床不睡，一定要跟我們擠這張床才睡得著。她小小的身軀，卻佔據了大大的面積，我與老婆只得被發配至「邊疆地帶」。

該怎麼說呢？只能說亮亮從小便展現了「選擇」的功力。

妹妹劉鋆、袁劍偉夫婦自香港返回，他們送的數位相機，在日後亮亮成長的過程，留下了許多美美可愛的倩影。尤其在老婆坐月子的前幾天，都是妹妹陪著我，協助我的生活起居。一星期後，她回香港了，我也正式進駐中心，和老婆一起坐月子。

再說老爸，偷偷地塞了省吃儉用的貳萬元給我，言簡意賅地說：「需要錢的時後，說話。」對於我們的老來得女，深信老爸的喜悅之情，是言語難以形容的，他也以最實際的行動做了表達。

爲什麼說是「偷偷地」？因爲老媽如果知道他有錢，一定會積極展開「摳錢」攻勢。如今，這個秘密公佈了，相信老媽也是莫可奈何，因爲生米已屬成熟飯了。

「偷偷地」還不只是這些，電台節目課的同仁與主持人，私底下號召進行，送給亮亮一個大紅包。當意外接獲這份賀禮時，激動得難以自已，因爲全電台我都沒有送任何滿月的蛋糕，原因就是不想讓他們破費，可是，最後他們還是破費了。

還有岳母，她總認爲自己是人群中最不顯眼的一個，再加上她個性羞怯，不善表達，只要有其他的人在，她自然而然地便會退居至角落。然而，這幾個月來她總是默默地爲我做一些事情，尤其她視力不佳，經常踏著夜路，到家裡幫我們看小孩，我們才有時間趕緊去完成吃飯、洗澡、料理家務等事情。

另外，像是監察院長錢復先生、夫人錢田玲玲女士，除了禮物、卡片上還親筆寫著：

「祝福

親愛的亮亮的寶寶

聰慧健康

長壽富貴

並祝

幸運的劉爸爸、劉媽媽闔府

平安喜樂

錢　復

錢田玲玲　賀於　九十二．九．台北」

大塊文化郝明義董事長，在中秋節的前夕，獲知亮亮出生的消息，立即用毛筆在宣紙上，寫了幾句話給亮亮：

「儀表亮亮

頭腦亮亮

人格亮亮

心情亮亮

歡迎劉亮亮

郝明義　二〇〇三・九・十」

亮亮何其有幸，能夠獲得院長、董事長等重量級人物的祝福，連身爲老爸的我，都覺得受寵若驚，無以回報。

另外，還有爲亮亮拍攝紀錄片的吳靜怡導演，每次來拍攝時，她都會爲亮亮留下許多美美的照片。三不五時便會寫封mail關心亮亮近況，不像主編，倒像朋友的大塊文化韓秀玫副總編輯。

其實，自亮亮出生至滿月，我都十分低調處理，因爲不想叨擾別人，讓人破費。除非主動問及，否則我是不會去說的，即使如此，仍然賀客盈門，賀禮不斷。特別是送來的金飾，我笑稱都可以開一家金飾店了。

最後，仍不可免俗的謝謝老婆，不但爲我生孩子、養孩子，還要爲我寫序。還有，中國時報浮世繪版夏瑞紅主編，從上一本書至這一本書都願意跨刀爲我寫序。她更以過來人的身份，分享了許多養兒育女經，每當我在困擾無助時，指點迷津，讓我走出團團迷霧。

需要感謝的人太多了，族繁不及備載，若要一一道出，可能要再出一本書才夠，容我在此一併謝過，並以一句「謝天」代表，因爲您們都是上天派遣來的天使。

哇～亮亮哭了。最近，這個小女娃的哭聲，眞是愈聽愈悅耳了。

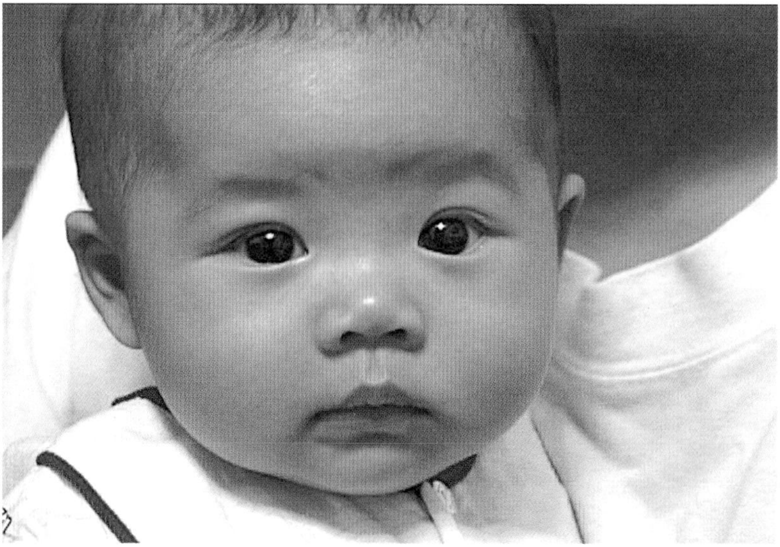

這是二個月大的劉亮亮，看起來漂亮懂事。不瞞您說，除了會笑、會哭，哭聲嘹亮、驚天動地之外，還沒學會別的本事；這張相片是唬人用的。

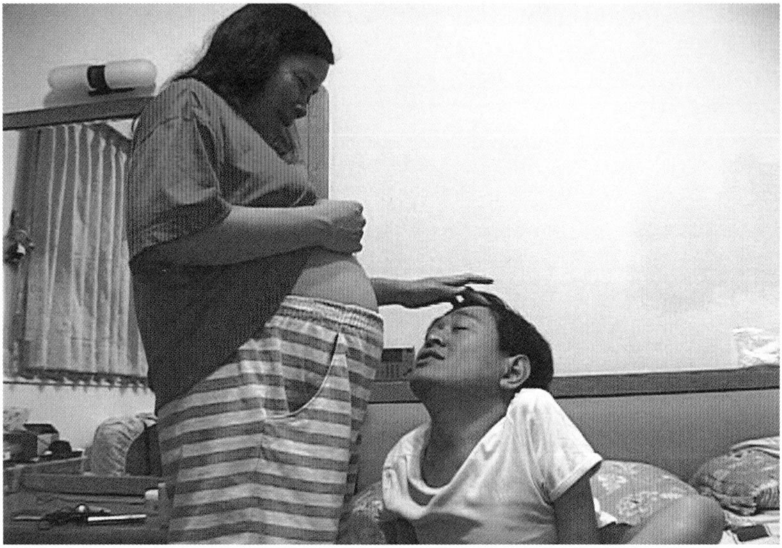

老婆懷孕八個月，這是我對著劉亮亮喊話的時間：「亮亮，妳今天乖不乖？有沒有踢足球？」

九十二年八月二十五日（星期一）上午九時二十分，醫師在老婆隆起的肚皮，劃下歷史性的一刀。五分鐘後，肚裡肚外的兩個世界接通了，也開啓了我們父女情緣。

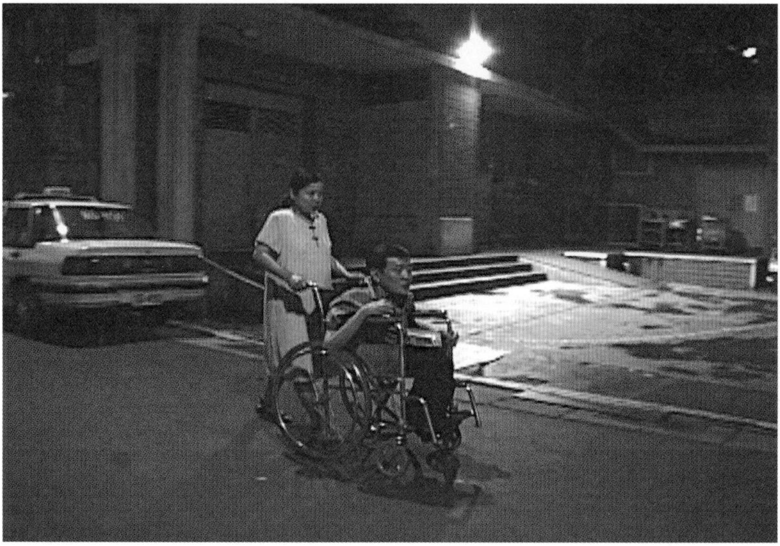

老婆懷孕邁入第三十六週，我決定「御駕親征」，陪同去產檢。主要是因老婆「小面神」的個性，對許多疑問都羞於啓齒，都不好意思問醫師。行前我多少有些忐忑。我知道自己的個性，本屬內向、羞怯，會像今天這麼外向、活潑，其實，完全是「換檔」而來的。

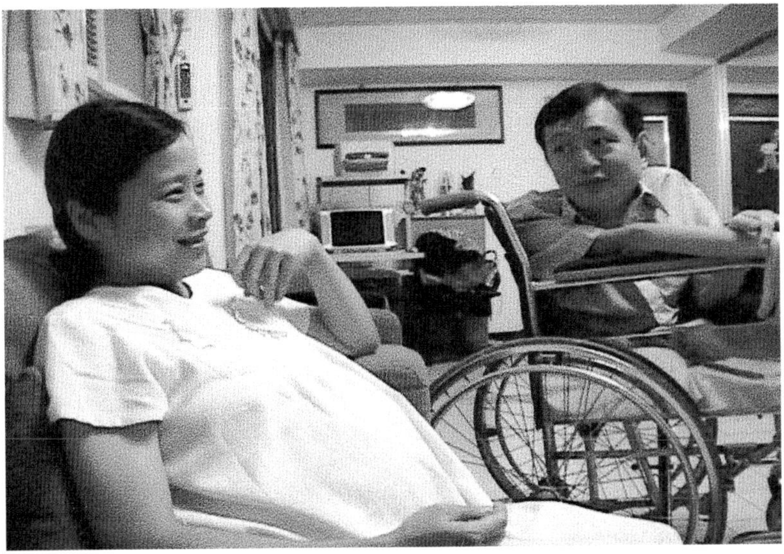

老婆跟我說：「我好羨慕路上的情人或夫妻，可以手牽手散步，我們都做不到。」我們的確沒辦法，外出時，她的雙手必須推著我的輪椅，以致無法多出一隻手，和我牽手而行。

我當機立斷：「誰說我們不能牽手」立刻我就牽住了她的手。

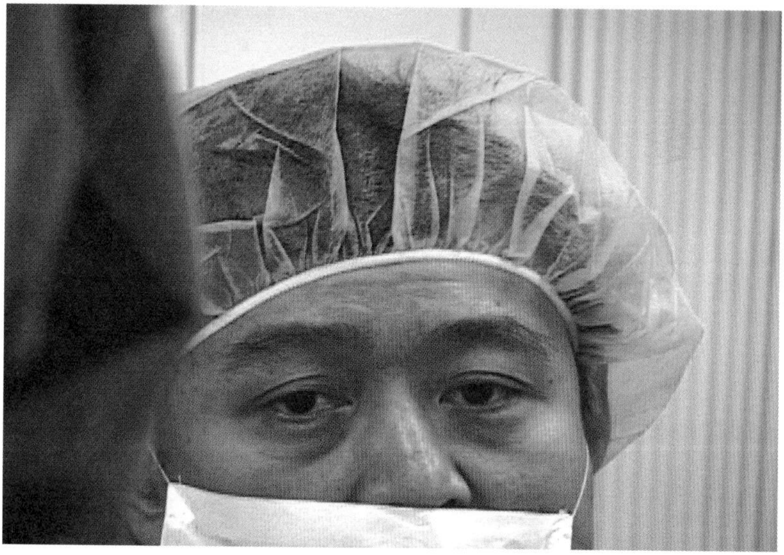

陪產，這是我主動提出的。另外，還要求攝影機進入拍攝，李義男醫師欣然同意。穿上消毒衣，戴上帽子、口罩，映入眼簾的是已完成消毒、麻醉前置作業的老婆，靜靜地躺臥在手術檯，彷彿一隻待宰的羔羊。我知道自己沒有懼怕的權利，因為那隻羔羊，將要爲我產下一隻小羊。

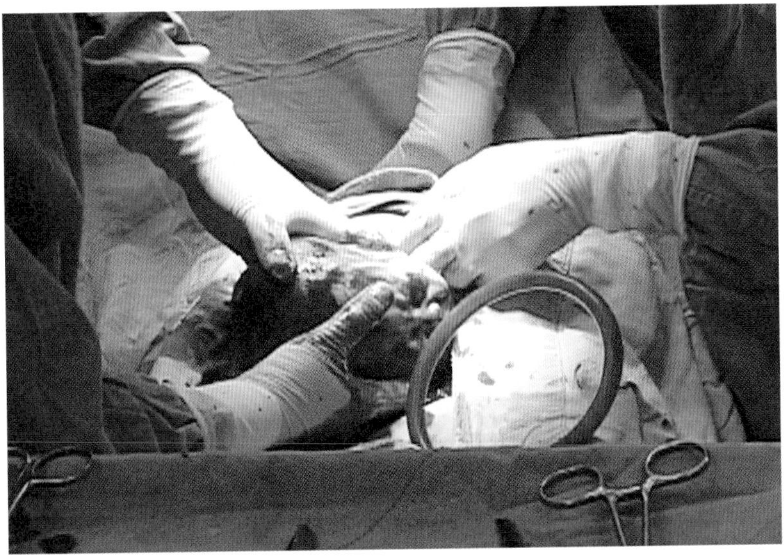

凝望著自肚皮中被拎起泛紫色的嬰兒，以及她發出的宏亮哭聲。「亮亮」果然名副其實，與這個世界打招呼的聲音完全展現了她的「亮度」。

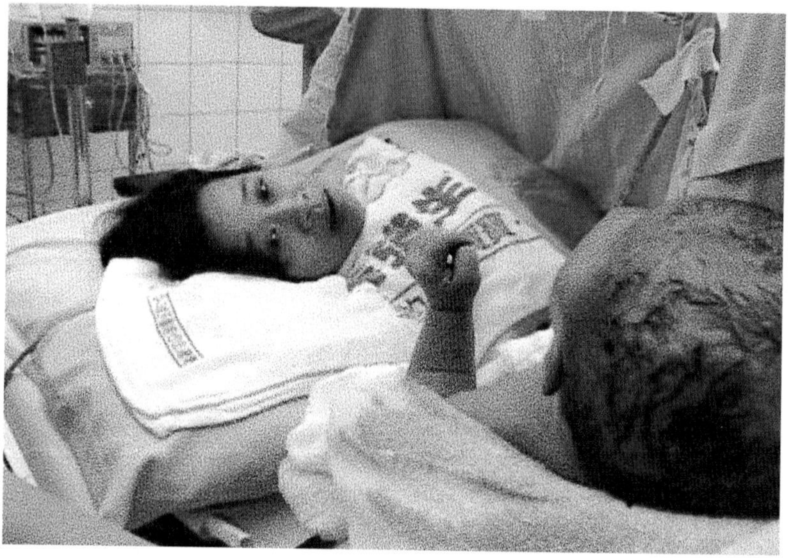

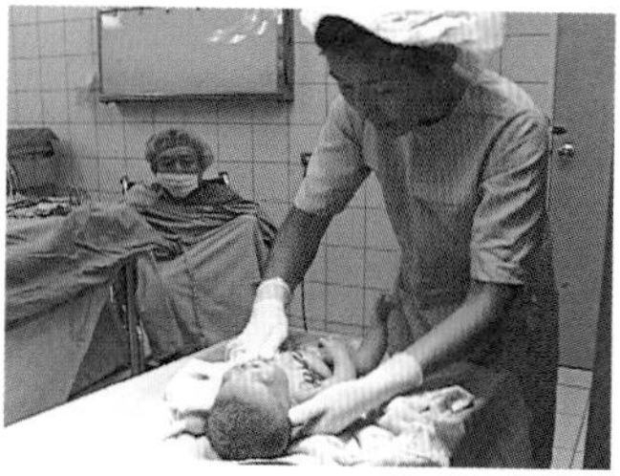

我目不轉睛盯著活動小床上的亮亮，護士小姐爲她擦拭全身，並用機器抽除口腔中的黏液，她依然放聲哭著。

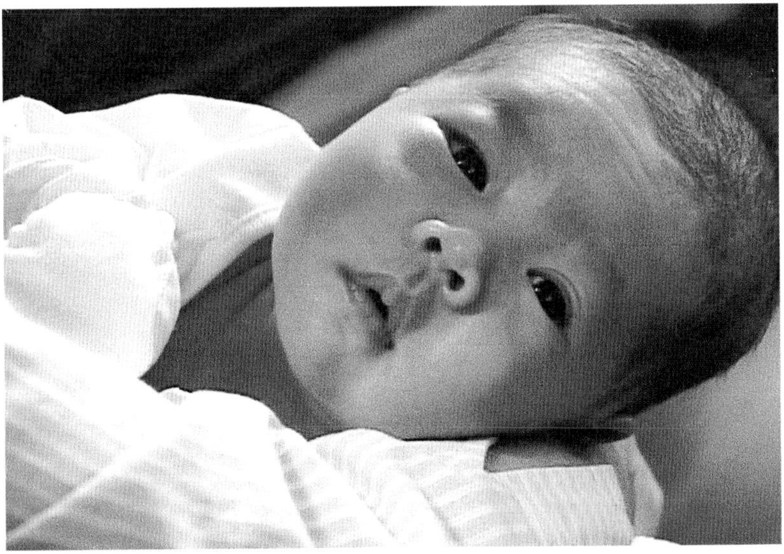

明知道自己的殘障並非遺傳，仍不免要端詳嬰兒的手腳，當她四肢活力十足舞動時，好一個「拳打南山猛虎，腳踢北海鮫龍」的架勢，瞬間讓我熱淚盈眶。

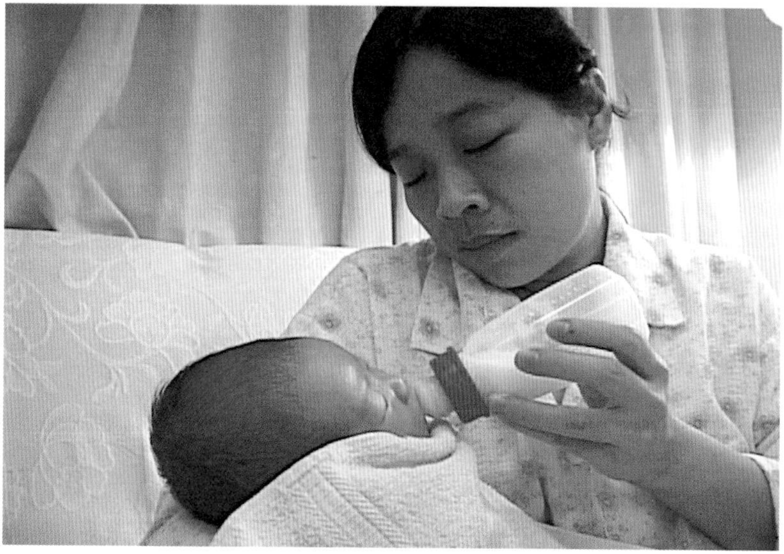

我原本準備晚上十點鐘洗澡，卻在亮亮的哭聲大作後，計畫暫停。我對老婆說，先將亮亮哄睡後再說！等到看似熟睡了，一放回床上，哭聲再度響起。只好立刻抱入懷中，說也奇怪，哭聲立即消失。慢慢地，等把亮亮哄睡，試著再放回床舖時，才一會兒的功夫，哭聲又再度響起。

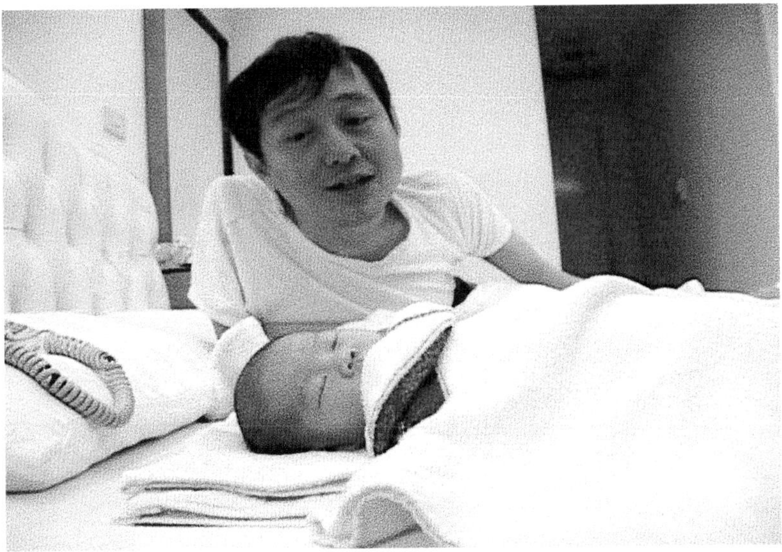

只要亮亮哭，我就會唱：「寶貝，寶貝不要哭，眼淚是珍珠，哭多將來會命苦，賭博會賭輸……」

自從小公主誕生後，國王的地位一落千丈，所有事情都是小公主排第一；王后更是忙得不可開交，事情做到一半，小公主一哭鬧，哇！不得了，手忙腳亂。

但是，只要全家人在一起，忙碌中仍然透出幸福甜蜜的滋味。

這張相片是亮亮四個月大，我們的全家福。

第一個月

神啊！請賜給我一個孩子

天降喜月

驗孕劑透露著不尋常的訊息，顯示老婆有懷孕的跡象。

結婚七年，一直以爲如果發生什麼事，該是「七年之癢」吧，萬萬沒想到竟是新生命來報到。這麼多年，在完全不抱任何希望的狀態下，老婆大人有喜了！

「你到底要不要生？」親朋好友老是有此一問，久而未見動靜，有人甚至就直接說：「你到底能不能生？」

「應該能生！」每當我如此回答，心中同時猜測對方一定以爲我是爲了面子在硬撐。

這些年，我與妻並未針對生育問題至醫院檢查，原因是不希望有一方爲此感覺愧疚。而且問題極可能出在我的身上，我也曾懷疑，難道我坐輪椅，連精子也坐輪椅，以致游泳能力不足，無法成功衝向彼岸？

謝謝老婆的體諒，對於詢問的人，她都以「一切順其自然」作答，確實也保住了我小小的顏面。

從馬偕醫院婦產科檢查結果得知，老婆確實懷了身孕，這事不僅讓我有「準爸爸」的喜悅，更抬頭挺胸有了男性的尊嚴。

「哇塞！我要當爸爸了，我要當爸爸了。」興奮之情在全身的每一個細胞快活地暢流著。老婆說：「這麼老了（我四十三歲，她四十一歲）才有孩子，以後那來的體力照顧他呢？」我也曾想過這樣的畫面，十多歲的小朋友推著輪椅，上面坐著一位佝僂且頭髮花白的老頭。街上擦肩而過的路人那麼多，一定會有人稱讚說：「小朋友，你眞孝順，推爺爺出來散步啊！」

聖經中的先知亞伯拉罕也是「老來得子」，他說他的孩子是上帝賜予的。其實，不瞞大家，我的孩子也是上帝的傑作。某一次，在「創造宇宙繼起之生命」時，我心中默唸：「神啊！請賜給我一個孩子。」果然，上帝聽到我祈求了，眞的就發生了不可思議的奇蹟。這，不是天賜，是什麼？所以，雖是「老來得子」更要珍惜，感恩！

至於老婆所擔心的有沒有體力照顧小孩？這點我倒不以爲意。我這一生，重度殘障帶給我的挫折、困難、風風雨雨，我都能迎刃而解、一一克服。現在，不過是拉拔一個小孩長大，同時又是夫妻兩人一起照顧，根本是小CASE，實在不該牽腸掛肚。再說，我始終相信人的潛能無限，新的生命會帶給我們新的力量、新的創意、新的契機。安啦！安啦！

不過，老婆尿液中帶血，這不是好現象，是否會流產？醫師表示透過超音波測出的胚胎仍然小得看不清，要等一、二個星期之後，方能知曉，如果這段時間出現月經，則代表胚胎著床失敗，流產了。現在醫師唯一能做的，就是開安胎藥。

似乎我高興得太早了。

紅色警訊

「今天沒有出血，眞好。」

「如廁時，仍會出現一點點、一點點的血跡，這樣的情形只要一天不改善，危險便亦步亦趨。」

「似乎難以突破『三天』的關卡，儘管只有一絲絲的血跡，還是讓人提心弔膽」

「不知何時才能改寫連續三天不出血的紀錄？這場苦戰何時才會結束？是輸還是贏？」

我每天的日記上都紀錄著老婆「出血」的情形，直到有一天上午，血非但未停，更出現了血塊，這是我最擔心的狀況。

肚裡的寶寶似乎是凶多吉少，我們也做了最壞打算。老婆完成下午馬偕醫院婦產科看診的掛號，無助地等待接受胎兒不保的噩耗。

無心上班，但還是硬著頭皮上班，當台北市專門載送殘障市民的復康巴士啓動時，凝望著車窗外佇足目送的老婆，眼與心一併酸了起來，突然好想哭。爲什麼別人生個孩子那麼地輕而易舉，我們竟是困難重重？爲什麼上帝賜給我們小孩，如今又要將他奪走？窗外模糊的景物寫滿了「爲什麼」。即使有再多的不甘、不願，我知道，今晚下班返家時，我必需承受喪失胎兒的失望，期待破滅的失落……

經歷了一天的忐忑，回家後老婆告訴我，小生命堅強地活了下來了！瞬間，我的眼淚不聽使喚地汨汨而出。老婆說超音波檢查時，聽見胎兒心跳噗通噗通的聲音。

哇！好神奇耶！一個小小的生命開始孕育、成形！

醫師給老婆注射了安胎針，開了安胎藥，並且千叮嚀、萬囑咐，要多臥床、多休息。

紅色警訊雖未解除，不過，至少讓我有重新再戰的機會，我希望能夠打贏這場戰役，如同我打敗「殘障」般，那麼精彩、漂亮。

第二個月

發生即是恩賜！陪老婆臥床待產

害喜

人的口味如同習慣一般，年齡愈長愈根深柢固，不易改變。

自從老婆懷孕後，口味與食慾都大大地改變，聽說這樣的情形叫做「害喜」。

先從口味來說，以往偏愛優酪乳、起司、牛奶等食物，現在一想起就覺得噁心、想吐。另外，從前不可一日或缺的水果，每一種她都喜歡吃，愛不釋手，現在卻只吃酸的水果，例如：鳳梨、葡萄柚等，太甜的像蘋果、香瓜等便成了拒絕往來戶。

倒是以前不曾想吃的食物，例如：酢菜肉絲麵、酸辣湯、鹹菜鴨……常會出現在她「口味圖鑑」裡。

有天晚上，老婆突然說好想吃皮蛋瘦肉粥，可是夜已深，店家也打烊了，於是在熬過漫長一夜後，隔日一大早，便興沖沖地趕赴與「皮蛋瘦肉粥」的約會，當舌頭與熱粥交會的一剎那，再也嚐不出往日的甜蜜、美味，若非爲了肚中胎兒，她是不可能硬著頭皮吞下。

又有一天晚上，她說好想吃「蚵嗲」，這是什麼東西？我連聽都沒聽過。她說小時候，父親曾帶她吃過，好好吃哦！我問現在那裡可以買得到，她回答「新竹廟口」。

「啓稟娘娘，是否需要臣透過飛鴿傳書，請宅急便送來蚵嗲？」

「你怎麼知道它有宅急便的服務？」

「這完全是臣的大膽假設。」

「才怪！」老婆繼續說「我現在開始想吃烤乳鴿了。」

哇哩咧！她的胃口也變得太快了吧！

害喜，沒想到也翻出了「古早味」。

再說食慾吧！老婆的胃口向來奇佳，如果要給個綽號的話，那麼她就是「大胃王」，我則是「鳥仔肚」。每每外出用餐時，我吃不了多少就偃兵息鼓，掛出「哦！眞的吃不下了」的免戰牌，而剩下的東西，她就好像「清道夫」會將將它們一一清除。

老婆吃東西的畫面，十分生動，任何食物進入她口中，都變得津津有味，好吃得不得了。她不僅吃飯時大快朵頤，非用餐時間，也經常見她從冰箱裡，取出食物，塞進嘴巴，快活咀嚼的模樣。我常說她像魚一樣，每天吃個不停，毫無節制。

於是，對她我有這樣的譬喻：老婆一出筷，絕不空筷而回，宛如武功高強的大俠，寶劍出鞘，若非沾到血跡，絕不回鞘。

這樣的畫面，在老婆害喜後，也不復存在。原本勤快的嘴巴，如今變得意興闌珊。她常是空筷而出、空筷而回，曾幾何時，換我勉力扮起「清道夫」角色。

現在，她食慾不振、胃口盡失，吃不下東西，勉強有些食物下肚，就會噁心想吐，非常難過。原本「吃」對老婆是件快樂事，如今變成了苦差事。

「好想去催吐。」

「忍一忍吧！否則肚裡的寶寶會吸收不到養份」。

短短不到一個月，她的體重不增反減，下降了四公斤。這哪叫「懷孕」，好像在「減重」喔！

我查閱了一些資料，害喜是因爲懷孕早期因賀爾蒙改變而引起的症狀，這種情形通常到懷孕三、四個月後會消失。

希望這段過渡期早日遠離，讓老婆再恢復吃的樂趣。

臥床

臥床，對於好動成性的老婆，是一件難以形容的苦差事。

老婆的體力好、腳力好，此乃眾所周知。她曾經推著我，從總統府走過華江橋，走回板橋家中。所以，她挺能走路，要她步行三十分鐘或一個小時，根本是小事一樁，眉頭皺也不皺一下。

猶記蜜月旅行時，我們前往浪漫、多情的夏威夷。有天三更半夜醒來，發覺睡在一旁的她不見了。原以爲她在如廁，但等了好久，未見人影，正要打電話求救時，她卻現身了。

「三更半夜不睡覺，你跑出去幹嘛？我還以爲發生了什麼事！」我有些不悅。

「睡不著呀！這裡城開不夜，好熱鬧！我出去逛逛。」她如此解釋。

白天玩不累，半夜還能繼續逛，體力之好，由此可見。於是私底下，我給她取了一個綽號，叫「過動兒」。如今，要她由脫兔變成處子，那裡也不能去，行動只限於小小的一張床，而且是要時時躺臥，實在是苦啊！苦啊！然而這是醫師的重要指示，並且給了兩張應注意事項的紙條，上面印製著：

妊娠初期（前三個月）出血之原因（第一張紙條）

有百分之二十的婦女會有這種情形：

1. 其中的二分之一，爲著床性出血（胎盤發芽侵犯母親子宮肌層時穿破母親血管，如同築路工人挖破地下水管一般）

2. 另外二分之一，可能爲胎兒有問題，兩者皆需作超音波來診斷（一次可能不夠，有時尚需額外一至二次），經陰道超音波可以提供最好的訊息。

妊娠初期（前三個月）出血之處置（第二張紙條）

先兆性流產

1. 臥床休息，是最好的良藥，除了生理活動（吃飯、上廁所、洗澡）外，皆應躺在床上，安胎藥只是輔助性，非萬能丹！！
2. 性生活是禁忌！！
3. 不要做粗重的工作或提重物！
4. 避免便秘之發生，多喝開水、多吃蔬菜水果！
5. 需要診斷書者請告知，以便開立。

爲了響應醫師的指示，我決定陪她一起臥床，以具體的行動來渡過難關。於是，取消了每週六固定的「下午茶時間」（這段時間原本是用來讀書、寫作），以及每週日上午教會的主日崇拜。

另外，只要是這兩天的邀約演講或演出活動，也都一併婉謝。

每當週休二日來臨，早晨醒來，我在床上吃早餐，原本偶爾看電視休閒，也改成在床上收聽廣播；接下來，在床上吃午餐，然後便是午睡時間；晚餐，依然在床上吃；晚上，則是讀書、寫作，一直至就寢。

而週一至週五，下班返家已是晚上九點多了，刷完牙、洗完臉，就繼續「臥床」。洗澡也由原本一天一次，改爲兩天一次，由於我的以身作則，老婆也比較能耐住性子長時間躺在床上。老婆總算見識到我的「床上功夫」，她曾經對我說「乾脆你來懷孕好了，你比我還適合臥床。」我也這麼覺得，如果可以代替的話，有何不可？

這讓我想起小時候，住在廣慈博愛院的那段日子。六十多個殘障院童，只有配給二部輪椅，根本不敷使用，所以我大部份的時間都待在床上，於是，在床上吃飯、睡覺，以及無所事事。小號時，床旁有尿桶；只有大號，才會在保姆阿姨的協助下，暫時離開床。從白天至黑夜，一張床一個世界，我在床上渡過了漫漫歲月，不知不覺間，竟練就了一身「臥床」的好功夫。

我向來認爲「發生即是恩賜」，生命中任何經歷都不會白白發生，一定有其目的。沒想到多年後的今天，「臥床」眞的派上用場了。依此經驗看來，任何的挫折與不如意也就毋需懼怕了，因爲總會有這麼一天，磨難的經歷將展現其用途。

臥床的日子過了一個月，直到老婆不再出血才結束。

這段期間，感謝老婆娘家親友全力支持協助，才使我們順利告別了這段難忘的「臥床」歲月。

第三個月

吐水怕抓漏，醫生怕治咳！孕婦怕生病

最可怕的聲音

有一種聲音，是這段時間我最怕聽見的。

這幾天，老婆傳來陣陣咳聲，咳一聲，我就心一驚。

該怎麼辦？眞不知如何是好？

大家都知道，懷孕期間，爲避免殃及無辜胎兒，孕婦不宜吃藥。我認識一位視障朋友，他和弟弟都是因爲母親懷孕時吃了成藥，導致出生後雙眼失明，必須一輩子在黑暗中摸索，踽踽而行。但是，如果不吃藥，持續咳下去，對胎兒也不好，我眞是憂心不已！什麼時候不生病，偏偏在懷孕時生病，什麼病不生，偏偏生了這種最纏人的病。

台語俗諺有云：「土水怕抓漏，醫生怕治咳。」可見咳嗽這種病有多磨人。它不像一般輕微感冒，只要多休息、多喝水，經過一至二個星期，便可不藥而癒。咳嗽不靠藥物治療，是不易康復的，即使按時吃藥，仍需較長的時日，方可痊癒。

我的職業是廣播，像我這種靠聲音吃飯的人，最恐懼的就是咳嗽，一旦感染咳嗽，不只是現場的廣播節目難以主持，就連廣青基金會的許多聯絡工作也將無法進行，碰上咳嗽，我就只能束手就縛。或許，因此之故，我的潛意識就先築起第一道防護網，全身的抗體也枕戈待旦、蓄勢備戰，使得咳嗽的病毒難以攻城掠地，所以，我也很少咳嗽。

既然老婆不宜吃藥，唯一能為她做的就是祈禱。禱告中，我做了這樣的祈求：「主啊！請醫治老婆的咳嗽，讓她早日康復，也保護胎兒不受影響。儘管我十分害怕又討厭咳嗽，但如果能改善老婆的狀況，讓我來承受她的咳嗽吧！」

不料，隔一天，主眞的應驗了我的祈求，先是發熱，我量一量體溫，果然發燒了；另外，還伴隨著流鼻水、喉嚨痛。但是，我無怨無悔，並且充滿了感謝與感動，因爲老婆咳嗽的情形減緩，咳與咳之間的頻率拉長了。

如此奇妙的「移轉」過程，讓我放下了心中的大石頭。這樣也比較公平，老婆的身子負責懷孕，我的身子承擔疾病，彼此分工合作。更不用像之前，她得承受兩種重擔，實在難爲她。現在，我有恃無恐了，至少病情嚴重的話，還可以去看醫生吃藥。幸好，第二天我的喉嚨就不痛了，身體也不再發燒，只剩下鼻水經常不由自主地滴落。

感謝主垂聽禱告，讓我可以分擔老婆的疾病，而且，並非我聞之色變的咳嗽，至於僅剩的小小的流鼻水，我倒要拚一拚，看是我鼻子流出的水多，還是嘴巴喝進的水多。

一半的力量

儘管我使盡吃奶的力氣，仍是天不從人願，爬不上去就是爬不上去。坐在床鋪上，望著近在眼前的輪椅，我心有餘，但力不足。

除了雙腳不能行，我的雙手也因爲小兒痲痺症的濾過性病毒侵害，骨瘦如柴、萎縮無力。若以一般人的標準衡量，我雙手所能產生的力量，只有正常人「一半的力量」。

老婆自從懷孕後，醫師再三叮嚀勿提重物（以前我便是她的「重物」），所以，她全部的力量，現在只能使用一半，也就是說，她也只剩下「一半的力量」。

這些日子以來，我們就是依靠倆人各有的「一半的力量」，緊密地結合在一起，才又擁有「完整」的力量。彷彿我們各有一隻翅膀時，誰也飛不起來，可是，當我們合而爲一，卻能各自鼓動著屬於自己的翅膀，翩翩起舞，展翅上騰。

爲了我下床方便，老婆在床鋪與輪椅的空隙間，架上一塊硬木板，我像蝸牛般緩緩從床鋪爬上木板，繼續朝輪椅的方向爬，到了床沿，我一手撐住床鋪使力，另一手則交給老婆用手往上拉。

「一、二、三」，當我使出力氣的同時，再加上老婆的一臂之力，在力上加力的當兒，我們逐一完成了上下輪椅、床鋪、馬桶……等事情。

原來，不需要奧援，不需要僱請外傭，我們一樣可以像一般夫妻，在自己築起的小天地裡愉快生活。

這樣的事情，當然不會發生在一般夫妻的身上，或許在別人眼中，看我倆吃力地克服行動上的種種不便，會覺得不捨或可憐，殊不知這是我們夫妻增進情感最「有力」的互動，藉著相互的扶持，讓彼此的情感，更緊密地融合在一起。

我想對尙未出世的孩子說：「爹地除了努力打拚賺取你日後所需的奶

粉、尿布等費用外，爲了你的誕生，更使出了全部的『一半的力量』！

在我十四歲那年，廣慈博愛院舉辦聖誕聯歡會，這是廣慈一年一度的盛事。對我而言，當時最大的期待就是可以拿到一份聖誕禮物，儘管禮物不是裝在大大的聖誕襪裡，也不是聖誕老人自煙囪送下來的，但已經夠讓人雀躍了，因爲這個盼望，一年也只能如願一次。聯歡會在晚上七點開始，六點我去洗澡，一心想著乾乾淨淨、舒舒服服地參加活動，說不定可以帶來好運氣，領到一份好禮物。從輪椅下到浴缸，毫不費力，因爲地心引力可助我一臂之力。洗完澡，要從浴缸爬上輪椅，卻是困難重重，費力又費時。一般人很難想像，一個輕而易舉，幾乎幾秒鐘便可以完成的動作，在我身上卻需要十五分鐘。那次不知怎麼回事，三十分鐘過去了，仍未爬上輪椅。當時，上半身在輪椅，下半身在浴缸，全身已被風乾，又凍又寒，加上奮戰了大半天，身子骨早已發出又疲又累的訊息。心想，既然爬不上來，這樣硬撐也不是辦法，先回浴缸喘息，再進行第二波的攀爬好了。回到浴缸，原先的熱水已經變成冷水，那時已是六時五十分，距離聯歡會活動只剩十分鐘。我開始祈求，希望有人經過浴室，可以幫我，我就不用爬得如此辛苦了。一分鐘、五分鐘、十分鐘過去了，並沒有傳來任何的腳步聲。自覺這樣等下去不是辦法，於是，開始對著浴室外大聲呼喊，這是最後一線希望。但除了自己的聲嘶力竭，沒聽見任何回應。此時此刻，想必眾人已沈醉在聖誕的歡樂中。

這時只有靠自己了，如果再不爬起來，勢必趕不上活動，當然，一年來的期待也就落空了，可是，爬上來的過程又是如此辛苦不堪、教人精疲力竭。就在爬與不爬之際，往事如同電影般在腦海中一幕一幕掠過。想起三歲時，因發高燒導致小兒痲痺，必須一輩子困坐輪椅中，老天似乎放棄了我；九歲時，無法像一般孩童在家享受天倫之樂，必須離鄉背井，爲了「醫療復健」，我住進台北市立廣慈博愛院，似乎被父母放棄了。現在，如果放棄了往上爬，是否意味著自己都要放棄自己了。

於是，我開始重新再來，不過，這次並未更幸運。三十分鐘過去了，依然上半身在輪椅、下半身在浴缸，全身既冷又累。儘管使勁爬、奮力爬、努力爬，爬到最後連眼淚都出來了。深覺自己無用，對一般人輕而易舉的事，對我卻猶如登天，難上加難。可是，如果連生活上的瑣事，都難以克服的話，那麼當我離開廣慈，進入社會，又該如何面對人生的大風大浪。

就這樣，我咬著牙，噙著淚水，最後，終於讓我爬上輪椅了。前後足足耗費了二個多小時。待我穿好衣服、褲子，推著輪椅抵達活動會場時，聖誕聯歡會也結束了。爲此，我落寞、懊惱，有些悔恨，氣自己爲何要在聯歡會之前洗澡，如果在之後洗澡，這一切遺憾就不會發生，禮物也不會不翼而飛了。

在那刻，我有一個奇妙的感覺進入腦海，雖然我沒有拿到一份實質有形的禮物，可是，上天卻賜給我一份最珍貴的禮物，這份禮物看不見、摸不到，也嗅不著，那就是「不放棄自己」。

這一路走來，每當遇到挫折、困難、不如意或是人生的苦難，這份禮物便是我突破障礙、努力向前的策動力。

感謝老天能讓我保有一半的氣力，並且還給了我全部的腦力。

第四個月

男孩女孩一樣好！取個好名過一生

羊膜穿刺術

羊膜穿刺術，這是高齡產婦不得不做的一項檢查。

淑循是老婆小學時代的同窗好友，目前仍經常保持聯絡。去年，她喜獲麟兒，興奮萬分，所以，她有說不完的媽媽經，當然，怎麼會放過和老同學分享她的經驗呢！

淑循說羊膜穿刺術疼痛至極，非常不好受，而且是三十四歲以上高齡產婦必做的檢查，藉此過濾基因有缺陷的胎兒，特別是唐氏症。老婆向來害怕打針，一見針頭便會不自覺地全身發抖，更何況聽說羊膜穿刺術所用的針，要比注射的針長好幾倍，老婆聽了當然是心驚膽顫。

我自認是好丈夫，但在行動上卻無法給予協助，對老婆頗感愧疚。我跟老婆表明，雖然行動上幫不了忙，至少我一定會陪在身邊，讓她安心。誰知老婆拒絕了我，她說：「你在，我反而要爲你擔心，這樣，我又怎麼安心？」於是，只好商請大姨子淑玲姊去照料她。

下午二時，廣播節目一結束，我便迫不及待地打電話，爲了不干擾老婆休息，這通電話是打給淑玲姊的，想不到淑玲姊在休息，我就問接電話的連襟，是否知曉老婆手術後的情形？他說：「沒聽淑玲說什麼，應該是沒問題吧！」

在音訊全無之際，我彷彿成了熱鍋上的螞蟻，不知如何是好？似乎除了等待，還是等待，可是，等待是很磨人的。

終於接獲老婆的電話，我劈頭就問痛不痛？她說不痛，感覺就像打針一樣。我又問進行了多少時間？她的答案非常不可思議：「五分鐘左右」。

晚上返家後，我仔細問老婆，羊膜穿刺術到底是怎麼一回事？她說護士先在肚子塗上黃色碘酒消毒，然後便藉著超音波引導適當的位置，接下來就是將大約長十公分的針頭，刺入腹中，並且抽出約二十CC的羊水在針筒內。就是利用這羊水做染色體的分析，以了解腹中的胎兒有無問題。

之前，被淑循說得如同「行刑」一般，嚇死人了。現在，除了醫師按規定吃安胎藥，會心跳加快、手腕抖動外，其他一切正常，比我預期的好太多了。

我不認爲淑循誇大其詞，因爲每個人體質不同、感受不同，這絕對是她的經驗之談。

而老婆之所以能夠如此順利，輕鬆過關，身爲老公的我，當然也有一份功勞，因爲我一直爲此事祈禱，而最功不可沒的，便是上天的庇佑、成全，我內心感恩、再感恩。

醫師表示羊膜穿刺術的檢查報告，一個月後便可得知，倘若胎兒有問題，兩星期內會電話通知。

祈願在這十四天內，不要接到醫院的電話，正所謂「沒有消息，就是好消息」。

現在，我又要開始爲這件事禱告了。

爲胎兒「留名」

廣青的同事們邊吃晚餐邊閒聊，突然話題轉到我身上。

「劉老師，你開始爲肚裡的小孩想名字了嗎？」有人好奇地問。

「還早啦！誰有不錯的名字可以提供給我。」我徵詢大家的意見。

「既然你家兄弟姊妹都是單名，乾脆男的叫『劉忙』（流氓），女的叫『劉英』（流鶯）好了」，有人提出了這樣的建議。

現場響起了一片笑聲。

「哇哩咧，我還劉農、劉湯呢」，我也不甘示弱地回補一句。

這根本是老笑話了，以前認爲自己不會有小孩，所以，常拿這些名字自嘲、說笑。沒想到現在終於「報應」來了。

晚間，老婆替我洗澡時，我忍不問：「我們要不要爲胎兒想個名字。」

「等胎兒滿四個月，穩住了再說吧！要不然爲他（她）想好名字後，卻流產了，不是很難過嗎？」老婆提出如此想法。

「沒關係啦！想好玩的嘛」我耍賴說。

大弟是兄弟姊妹最早有小孩的，當第一個娃娃出生時，大夥兒一起爲嬰兒命名，有人提議下一代小孩的名字，都取疊字。於是，大家集思廣益，七嘴八舌之下，「想想」這個名字終於讓大家滿意地通過。

爲什麼會取名「想想」？這是源自於詩人李白〈清平調〉中「雲想衣裳花想容」的詩句。

「想想」是女孩，接下來有了「揚揚」（揚字，同古字「洋」，取其洋洋得意、神采飛揚之意），是個男孩；後來小弟生的女孩則喚做「依依」。我原先想的名字是「衣衣」，很瓊瑤，又清新脫俗，但是「衣衣」的媽媽去算命，最後又加上了單人旁。

「好的名字都被他們取走了，還有什麼呢？」我自言自語？。老婆也陷入沉思。

「劉順順，如何？」我的聲音劃破了沉靜。

「第一個順是希望他（她）孝順，第二個順期盼他（她）有順利的人生。」

「不好，跟凌峰的太太賀順順『撞名』！」老婆提出反駁。

嗯！我也同意她的說法，只好推翻這個名字。

「如果兩個字的話，倒是有一個高尚又好玩的名字」這次輪到老婆出招了。

「兩個字也可，你說說看！叫什麼？」我迫不及待地想知道。

「叫做『劉董』。」日後，小孩即使沒本事當上董事長，有這樣的名字，被叫一輩子也挺過癮的。

「乾脆叫劉格言好了。」這是我主持廣播節目的單元，叫「留格言時間」。

哈哈……我們相視而笑。笑聲再度在浴室中盪漾開來，顯得格外輕脆、明朗，而且有迴音。

突然，腦海中出現一個名字，我提高了聲調：「叫劉晴，晴天的『晴』字，如何？」

老婆接道：「乾脆男孩叫劉情，感情的『情』字，女孩才叫剛說的劉『晴』。」

「我們大概只會有一個小孩，妳還想到男的、女的。」我回答說。

「『劉晴』一名，男女皆適用。」我這樣提醒老婆。

「劉晴」這是我們夫妻倆都覺得不錯的名字。

「晴」字即有陽光的天氣，願他（她）的人生，天天有陽光，並且能帶給周遭的人們如同陽光一般的溫暖、開朗。

而「劉晴」與「留情」同音，希望他（她）做任何事情，皆能「手下留情」，給人留些退路，也就是具有一顆慈悲之心。

說著說著，老婆如廁回來，表示又有一點出血了。

不知道這個名字能否派上用場。

第五個月

胎兒健康最重要！油亮亮也沒關係

男女之謎

羊膜穿刺術的檢查報告，終於要出爐了，生男生女之謎也即將揭曉。

上班時，電話中傳來老婆的聲音，我深深吸了一口氣，等著她告訴我答案。從她放鬆的音調，我已經有預感了，應該「沒問題」，因爲她的個性藏不住情緒，從聲音中便可聽出端倪。

「醫師說胎兒一切正常」，聽到這樣的結果，這一個月來七上八下的心，終於如釋重負。當我還沉浸在歡喜、感恩中，老婆已轉換另一種心情：「你猜是男生還是女生？」其實，從她喜悅的音調，我早已猜到八成。我說：「一定是個女娃吧！」因爲她喜歡女孩，當然這答案也早在我意料中。

在老婆說出答案的同時，我腦海中立即浮現一個女孩的倩影。身高一六八公分（一路發，我連數字都想得這麼吉祥），長髮披肩，有著模特兒身材，眉清目秀、氣質高雅……我所想像的都是清秀佳人、絕色美女而且人緣奇佳，不乏許多追求者。

老婆說其實她的喜悅只有六成，另外的四成則是抱歉，丈母娘也覺得對我「歹勢」，如果是個男孩，將來就有個「壯丁」可以來幫我了。我不以爲然。我們生小孩，並非爲了解決「有人幫忙」的問題，眞是這樣，就不生小孩了。試想，養育一個小孩長大成人，需耗費多少時間、心力、金錢啊！若只爲「有人幫忙」，花錢聘請一位孔武有力的外傭，不是既省錢又省力嗎？根本不必老婆辛苦懷胎十月，以及自己時時刻刻牽腸掛肚了。

我眞的覺得「男孩女孩一樣好」。有些人「重男輕女」，但嘴上不說，背地裡在乎得要死，一心想著：「一定要生個帶把的」。我是表裡如一的，能夠讓我們夫妻有個愛情結晶，將我們綜合的長相與德性傳承下去，這已經讓我幸福滿溢了，人生至此，夫復何求，所以眞的是「男孩女孩一樣好」。

「胎兒健康最重要」，才是我最最在意的。

主持廣播節目十一年來，每週必報導一位殘障朋友，或其家屬突破障礙、追求成功的故事，對這些受訪的家長而言，他們一定沒想到自己會有「殘障」的小孩，不論是先天障礙，或後天的疾病、意外所致。大部份的父母，也都認爲擁有健康的小孩是理所當然、天經地義的事，就是因爲訪問過這麼多事與願違、期待破滅的父母，才知道事情並不如大家所想像。

根據世界衛生組織估算，以開發中的國家台灣來說，會有百分之五的殘障人口，當然，愈先進、醫療愈發達的國家，殘障人口的比率也相對減少。我曾想過，爲什麼一定要有若干比例的殘障人口，難道不能有「零殘障」嗎？或許，老天透過如此的「不完美」，如同生、老、病、死般，藉此讓人們懂得惜福、感恩。

因此，能夠生下一個健康的寶寶，應該先謝天、謝地，感恩老天賜福，然後再來歡喜慶賀。我告訴老婆，還有四個多月即將臨盆，即使目前又過了一道關卡，仍不可掉以輕心，每一刻皆懈怠不得。

自從羊膜穿刺術確定是女孩後，爲胎兒命名這檔事又再度發酵。妹妹自香港來電，想到「劉樂樂」這個名字，希望寶寶能快快樂樂長大。也對喔！世上有什麼比快樂更讓人追求呢？後來，妹婿小偉也想了一個「劉定定」的名字，第一個定，代表堅定，第二個定則是穩定；過沒多久，妹妹又來電，他們好像接力賽似的，新出爐的名字是「劉非非」，「非」字確實特別，在一般人名中極少見，然而兩個非字，代表什麼意思？莫非負負得正？

終於「劉亮亮」、「劉款款」兩個名字，進入最後決選。

「劉亮亮」是老婆的傑作，而「劉款款」則是弟媳小芬的發想，原先「劉晴」一名為何會被推翻？由於，劉家下一代的名字，皆取疊字，如果我特立獨行的話，一定會讓他們覺得我這個做大哥的不合群，破壞了約定。但是，除非能夠出現不錯的名字，否則我寧願跳脫約定，被家人責備，也不願小孩一輩子為名字不好所苦。所幸，這兩個不錯的名字誕生後，也化解了我的困擾與不安。

「劉亮亮」的亮字，老婆說代表「漂亮」、「光亮」，而「劉款款」小芬取其「深情款款」之意，接著我們再從台語發音來討論，是否有不妥之處。

「款款」有「款款ㄟ走哦」的諧音，這是唯一的敗筆，而「劉亮亮」想來想去，只有「油亮亮」的諧音，不是那麼負面。

爲此，我們廣徵「民意」。

某個週六我們和岳父、岳母等人聚餐時，請大家爲這兩個名字投票。結果劉亮亮三票，劉款款二票，投給前者的有岳父、岳母、匀匀；投給後者的是淑玲、哲綸。現在，該聽聽身爲老爸我的意見了吧！我投劉亮亮一票。一來，這是老婆嘔心瀝血的結晶，二來，就音律來說，兩個三聲的字連在一起，像「款款」唸起來就不夠響亮。

晚上臨睡前，我更改了呼喚多時的「劉晴」一名，而改稱：「劉亮亮，爸爸在跟你說話哦……」。如果胎兒肚裡有知，他一定會被我們弄得「霧煞煞」。

但話又說回來，多年後，當劉亮亮看到這篇文章時，一定會感動在心，因爲光是爲他取名字的過程，就看出父母親的用心與期待。

重不重有關係

「肚子有沒有大一點？」這是每日必問老婆的一句話。

老婆已經懷孕五個月了，與一些媽媽朋友閒聊時，有人認爲體重才增加四公斤，似乎太輕了；有人覺得還好，等到七、八個月，體重會直線上升，不要著急。

每個人的說法都不一樣，我們又是第一遭，也不曉得該信誰的。曾經企圖詢問兩位老媽媽，心想年紀大，生的孩子多，經驗總會豐富些。不料，兩位老人家，因爲年代久遠，記憶早就隨風飄散。

眾說紛云之下，心裡難免有疙瘩，產生了疑慮。「胎兒是否眞的斤兩不足？」果眞如此，那該怎麼辦？老婆的咳嗽好了沒多久，又碰上SARS（嚴重急性呼吸道症候群）疫情開始蔓延，好在咳嗽過去了，否則，她一定被當成人人避而遠之的「瘟神」。

最近幾天，救護車的鳴笛聲變得很頻繁，讓人聯想到是否又有SARS病患被送到我家附近的馬偕醫院，這也是老婆每月例行產檢的醫院。

爲了減少被感染的機率，我開始考量是否讓老婆到專業婦產科去產檢、生產。馬偕的產檢向來十分簡單，醫師只負責聽「心音」就行了，至於想要詢問其他問題，譬如「胎兒斤兩夠不夠」的疑問，在人滿爲患的壓力下，醫師根本無暇回答。

基於以上種種原因，我建議老婆至居家附近頗負盛名的「李義男婦產科」看診。不過這裡完全自費，沒有健保給付，支出費用比馬偕多好幾倍。

老婆十分體恤我在外賺錢辛苦，她說：

「這樣要花很多錢耶！」

「錢再賺就好了，可是孩子不是想生就生得出來的。」我說。

老婆頗爲感動，便轉移陣地至該婦產科產檢，當然，也帶回了好消息，胎兒一切正常，並無斤兩不足。醫師表示，一般而言，胎兒七、八個月時，體重將會明顯上升，不必擔憂，倒是醫師問老婆幾歲，老婆回答四十一歲時，醫生悶不作聲，只是瞪大了眼睛。

這樣的動作代表什麼意思？我和老婆有不同的解讀。老婆認爲是「這麼大的年齡，還在生孩子呀！」我覺得是「這麼一張娃娃臉，根本看不出是高齡產婦呀！」

老婆認爲這是我「取悅」她的甜言蜜語，我倒有興趣跟老婆打賭，究竟是誰猜對了，或許待我和醫師混熟了，答案自然分曉。當然，也有可能，我們都猜錯了。

體重對像我這樣幾乎凡事都需要協助的人而言，得避免過重，否則，抱我的人宛如抱一座山般沉重，會苦了別人，尤其是照顧我生活起居的老婆，也會讓自己愧疚。所以，從年輕至現今，我的體重始終維持「三十八」公斤不變，如此「身輕如燕、玲瓏有致」的體形，是在飲食方面付出相當代價才得來的。多年來，凡是油炸、甜食、零食等，只要是會發胖的垃圾食物，都被我視爲拒絕往來戶。剛開始確實掙扎不已，後來我以忍耐來對抗，久而久之，則成爲一種生活習慣，誘惑不再。

另外，爲了健康著想，我還拒絕煙、咖啡、飲料。至於酒，只有在喜慶宴會爲了不破壞氣氛，偶爾小酌淺飲。當然我也期待有一天，能把酒給戒了。

至於老婆的體重，我希望能夠逐月增加，爲了產下一個「頭好壯壯」的孩子，體重重不重眞的很有關係。

視網膜魔術

我有一位朋友，因爲發生車禍，所以左腳裏上石膏，醫生給他一雙枴杖，藉此撐住身軀行走。我們給他取了一個綽號叫「我的左腳」。

有一天，「我的左腳」好奇地對我說，未受傷之前，他難得瞥見殘障朋友在路上走動，爲什麼受傷之後，經常會有殘障朋友在他的視線中出現。莫非小兒痲痺症又開始大流行了。

聽完了他的描述，我發現最近也有類似的感覺。自從老婆懷孕後，我經常有機會看見孕婦。某個週末晚上，我們去外面吃飯，走在落葉滿地的中山北路，在回家的路上，才二十多分鐘路程，就有四位準媽媽與我擦肩而過。另外，在我上、下班搭乘的復康巴士中，孕婦的身影很容易就會映入眼簾。以前怎麼都沒有看到那麼多的孕婦呢？咦！現代的年輕人，不是愈來愈不想生小孩嗎?因此才有「頂客族」這個名詞，政府爲此還十分憂心，開始倡導生育，並提出獎勵的方法，難不成這麼快就有成效了?

和「我的左腳」對望一眼後，我提出結論：是「湊巧」吧!

後來在網路上讀了一篇文章，才恍然大悟，這種現象在心理學上叫做「視網膜效應」。簡單地說，這種效應就是當我們自己擁有一件東西，或是一項特徵時，我們會比一般人更注意別人是否與我們一樣有這樣東西或特徵。

這個發現對我有什麼影響呢?

記得有一次，「聽你說」專線的督導吉老師，去了一家燈光美、氣氛佳、東西又好吃的餐廳，回來後，她喜孜孜地告訴我們，以後志工們開會可以選在那個地方。

我隨口一問：「吉老師，那裡的入口處有沒有階梯?」

吉老師一時啞口無言，沉思了半晌才說：「抱歉，我實在想不起來到底有沒有階梯?」

我不怪吉老師，因爲她也和一般人一樣，行動方便，來去自如。所以

「階梯」對她並不構成障礙，視而不見也就不足爲奇了。然而，階梯對我們坐輪椅或撐枴杖的人而言，一個階梯彷彿一層天梯，多幾個階梯連在一起，就比登天還困難了。

如果我們來檢視台灣的「無障礙設施」，像是提供給輪椅者行走的斜坡道陡峭，好像爬山一樣，輪椅根本就推不上去；至於盲人使用的導盲磚，則是殘破不堪，有些導盲磚的盡頭竟是一顆樹或一條溝，如果盲人依指示前進，最後結果一定不堪設想。所以，導盲磚在視障朋友的口中又稱「倒楣磚」……

說到無障礙設施的缺失，我可以寫一天一夜都寫不完，我在想怎麼沒人找我去擔任無障礙設施的審查委員？對哦！他們怎麼可能找我，這樣不是大多數的工程都要重新來過？儘管無障礙設施比比皆是「瑕疵品」，但至少有做，卻還有太多的地方是看不見無障礙設施的，當地的殘障朋友就只有自求多福、自生自滅了。

無障礙設施推行多年，成效依舊不彰，難道這也是「視網膜效應」作祟嗎？因爲負責的政府官員並非殘障人士，所以他們看不見「障礙」在那裡？找不出問題在那裡？如果是這樣，那麼能否拜託他們去學學將心比心、感同身受的功課。或是，必須像「我的左腳」那位朋友一樣，受傷之後方知殘障的苦楚，失去之後才曉得擁有的可貴。

前一陣子，「我的左腳」去了一趟美國回來，他旅居國外多年的友人問起了台灣目前現況，「我的左腳」娓娓道來。後來又問到了目前殘障福利做得如何？「我的左腳」很得意地告訴他，現在正在推行「無障礙設施」。

他的朋友弄不清楚什麼叫做「無障礙設施」，原來，像在美國這些先進國家，無障礙設施根本不需大力推動，而是任何建築物都必須具有的基本配備，就像警察廣播電台的一句廣告詞「警廣，一部好車的基本配備」一樣。

聽完之後，我發出不可思議的感歎：「怎麼會差這麼多！」

「我的左腳」感觸地說：「經過這次受傷，我才恍然大悟，感同身受永遠不等於切身之痛。」「可是有些人，連感同身受都做不到」，我笑嘻嘻地對「我的左腳」說：「至少，你這次的傷沒有白受啊！」

第六個月

福禍相倚！孕婦雖跌倒，平安好運到

請電視搬家

我們夫妻已經在爲小孩出生後的教育方式煩惱了。

一天晚上，老婆在浴室中幫我洗澡，因爲受到剛觀賞完由金凱瑞擔綱演出的影片〈王牌特派員〉的影響，於是我提出在小孩未入學之前，不讓他看電視，也就是說，我們家將有一段頗長的時間，看不見「電視機」這種家電產品。爲何會有如此的想法，原因有三點，其一，現今電視節目粗製濫造，充斥著許多暴力、色情、變態等內容，這些乏善可陳的取材，根本就是垃圾，不看也罷！看了對尚在吸收、學習的小孩，是一種身心的戕害、扭曲。其二，現在許多父母忙於工作，把教育孩子，陪伴孩子的責任全交給電視。在孩童不懂選擇，不知節制的情況下，心性被污染、視力也受損。其三，電視在現成的影像下，減少了孩童的思考力，以及想像力的發揮。每思及此，便會想起我們廣播節目的一位視障聽友，他的名字叫周建宇，認識他時還就讀啓明國小三年級，他的口齒清晰，語言的遣詞用句與組織能力，相當於國中的程度。周建宇的父母平日也忙於工作，極少有時間陪他、教他，這不免令人好奇，他的「語言能力」從何而來？仔細想想，應該是他眼盲之故，遠離了電視這個大怪獸，而靠接近廣播所賜吧！

老婆認爲讓電視消失是不可能的，因爲電視幾乎已成爲每個家庭不可或缺的，確切地說，電視早就從休閒產品變爲生活必須品，可見人們對於電視的依賴之深。其實，要老婆做這樣的決定，眞的很掙扎，如此一來，她所鍾愛的日本台美食、旅遊節目，以及我的新聞台、彩虹頻道，也都將一一化爲烏有，回歸到清教徒的生活。

希望老婆馬上接受這樣的建議是有困難的，我又何嘗不需要調適，慢慢說服自己，但爲了讓這個得來不易小孩，有一個良好的成長環境，相信我們夫妻倆都願意接受一切的改變。

許多先進國家早就意識到電視所造成的人性疏離，不利於親子互動等問題，故紛紛提出對策，其中以北歐某些國家所提的「放電視假」，讓我印象最深刻。何謂「電視假」？簡單地說，就規定全國人民在一個月，或每一季的某一天，一律不准看電視，電視台也不准播放節目。民眾可以在這一天，進行親子活動、打球、踏青、或是訪友，反正就是不能觀賞電視，當然想看也沒有節目可看。

每次演講我總會好奇詢問群眾，是否有人家裡沒有電視，居然有人舉手呢！我想，一天或幾天的電視假，效果實在有限，唯一之途，就是請電視搬家，大聲說出「我們不歡迎你」，這才是一勞永逸，正本清源之法，而且可以永久享受電視假。

有句話說「父母難為」，似乎當了父母後，才能真正感受且甘心情願去做「犧牲」。在寶寶尚未出生前，現在我們已感受到身為父母的心情了。

跌倒

孕婦最害怕跌倒，老婆竟也無可避免地發生了。

周日傍晚，老婆煮好了地瓜稀飯，這是我家的晚餐。此時，小弟劉鎧打電話來，表示待會兒爸、媽和其他家人會過來。

家人來我家，依慣例，一定是外出聚餐。向來節儉成性，又有孝心的老婆表示想把地瓜稀飯送給住在附近的岳父、岳母吃，我也覺得這是不錯的建議。

豈料，老婆返家後，右眼下方，出現一大塊紅腫，清晰可見。追問之下，方知她在路上走著，一個不留神，踩進窟窿，整個人就這樣跌落下去。

老婆在跌倒的瞬間，腦海出現的第一個念頭就是保護胎兒，於是她用膝蓋與女人最在意的臉蛋觸地，而躲過不讓肚子直接受到撞擊。她掀開孕婦裝，裙擺周邊仍留著斑斑點點的血跡，左膝蓋更烙下一個如十元銅幣般大的擦傷。

注視老婆仍帶著大紅血漬的傷口，想像一個挺著六個月身孕的女子，在跌倒的一剎那，如此奮不顧身的保護胎兒……想到這裡，就有百般難過、千般不捨，這才眞正體會到什麼叫「心疼」。

沒有人願意發生這樣的事情，此時此刻，在老婆傷口疼痛、飽受驚嚇之際，我最應該做的是同情她、安慰她：「妳一定嚇到了哦！傷口一定很痛哦！」可是，我卻以責備代替了關懷，劈頭就說：「妳走路怎麼這樣不小心，教你不要經常回去看妳爸媽，妳就是不聽，現在可好了……」

我知道，這是一種遷怒，因爲老婆的跌倒，與她去探望爸媽，無必然的關係，我實在不該責備她的孝心。情緒，猶如蟄伏在身體裡的怪獸，有時候，我仍然控制不了牠，尤其，在面對至親的人，經常會亂了方寸。有人說，人們經常「厚朋友而薄親人」，如今，我也陷入類似的泥淖。

我知道，自己的修練不夠、火候不足。在廣播中，在演講時，我都能說得頭頭是道，有條有理，可是，在日常生活中，若我只是光說不練，即如同聖經中所說「鳴的鑼、響的鈸」一樣。這是一個很好的警惕，也給了我一個很好的學習機會。

眞正的道場，在心中；眞正的修行，在日常生活中。

說到跌倒，大家想到、看到的都是拄枴杖的朋友，其實，像我這樣四平八穩坐在輪椅上的人，也曾飽受跌倒之苦。而讓我自輪椅跌落而下的人，竟然是令我敢怒不敢言的父親。

那一年，榮獲省教育廳頒發的「社會教育有功人員獎」，頒獎地點在台中。父親推我去搭車南下，在過馬路時，未留意路面上的一個窟窿，於是左前輪陷於洞中，輪椅立即傾斜，我的身體好似「自由落體」般順勢落地。

頒獎典禮中，每位受獎人皆裝扮得光鮮亮麗、帥氣十足，只有我，彷彿「傷兵」般坐著輪椅，臉上「掛彩」受獎，想必頒獎人也嚇了一跳。過去我最放心讓家人推輪椅，因爲他們操作得最熟練，可是讓我摔下輪椅的也都是這些讓我最放心的人。一次是前女友、一次是老婆，一次是父親，自此後，無論誰推我，端坐輪椅上的我，都會雙手抓得緊緊的，輕忽不得呀！

對我而言，每一次獲獎的背後，似乎就隱藏著某一個挫折或災禍。像我當選「十傑」（十大傑出青年的簡稱）那次，就罹患了腎結石，痛得我難以忍受，臉色發白、冷汗直冒。有人說，腎結石的痛，僅次於女性生產之痛。後來，我發現其中的端倪，在字裡行間昭然若揭，原來「十傑」這兩字反過來，不就是「結石」嗎？本是一件痛苦耐捱的事情，卻被我看成了一樁笑話。或許，「結石」是當選榮耀的「十傑」所必需付出的代價吧？這樣想想，就比較輕鬆、自在了。我向來認爲，福與禍、好與壞、成功與失敗是相伴相隨的，當我們享受快樂時，說不定快樂裡面包裹著一個「禍心」，凡事平常心看待，得意莫忘形，哀矜勿喜。

因此，老婆不幸跌倒，相信後面必伴隨著一個幸運，那就是胎兒會平安、健康地誕生。

第七個月

隔著肚皮喊話。劉亮亮，妳好嗎？

喊話

每早起床後，每晚臨睡前，或是不定時的想到，就會對著老婆隆起大肚，與裡面日漸成形的胎兒「喊話」。

「寶寶，妳在裡面好嗎？我是老爸，儘管我們從未見過面，我卻好愛、好愛妳，好期待、好期待妳的誕生……」

「寶寶，今天老媽生氣了，妳讓她不要生氣，因爲這樣會讓妳在裡面不舒服。」

「寶寶，今天好熱啊！37.8度，創下今年入夏以來最高溫，妳在裡面熱不熱…」

「寶寶，又是妳老爸啦……」

不知胎兒能否聽到我的說話？別的老爸是否也像我這樣的神經兮兮、自言自語，甚至樂在其中。不知爲啥，這是一種奇妙的感覺，正如同品嚐到一頓美食佳餚，或是閱讀到一本耐人尋味的好書，如此的「喊話」，即使短短幾句，都會教人莫名的興奮，帶來好心情。

我有一位視障朋友在老婆懷孕期間，經常與腹中的胎兒說話，奇特的是，當寶寶出生後，似乎對他的聲音十分敏感，好像寶寶熟悉又聽得懂的一種旋律。每當老婆有事外出，由他照顧寶寶時，他的聲音便能安撫寶寶哭鬧的情緒，讓寶寶乖乖地入睡或是靜靜地玩耍。

想不到聲音會產生如此的妙效，那麼寶寶出生後，我便可以聲音替代不便的四肢，來照顧寶寶，多少分擔老婆的一些辛苦。這一點我是占優勢的，我可以讓寶寶聽到好聽的聲音，節奏分明、字正腔圓的優美旋律，絕對有收聽廣播的臨場感。當然，我也可以爲寶寶唱一首首動聽的催眠曲。

曾在電視劇或廣告畫面，看見一位即將爲人父的爸爸，表情喜悅地附耳於老婆便便大腹上，聆聽胎兒的心跳聲，這樣的動作我也試過好多次，但什麼聲音也沒聽到過。另外，每當老婆感覺有胎動，或胎兒在肚裡拳打腳踢時，她趕緊要我摸摸看，可是，我卻什麼也沒摸到。既然無法雙向互動，單向溝通也沒什麼不好。

我不知道這算不算一種胎教，但至少是增進親子感情的一種方式，今後，我會一直進行這種「喊話」，從寶寶未出生開始至出生後，相信很就會有那麼一天，我們父女單向的「喊話」，會變成雙向的「對話」。

「寶寶，妳今天好嗎？」我又開始喊話了。

請問

這一陣子，老婆的肚皮經常覺得好撐、好脹、好硬。

有人說這是「胎兒伸展」，有人說是「假性陣痛」，也有人說是「子宮收縮」，說法各家不同，莫衷一是。我們又是第一胎，實在缺乏經驗，也弄不清孰是孰非。

老婆懷孕後，我和她早有分工，她，只需好地在家休息、待產。我，除了盡心盡力賺取小孩奶粉錢、尿布錢、教育基金外，還負責吸收與孕婦相關的各種資訊，包括整個孕期身心的急遽變化、分娩過程、產後護理等。這可苦了我，因爲過去只要看到這類的資訊，我都是隨手掠過、視而不見。

這幾個月來，我開始留意報章雜誌的報導，電視新聞只要出現「懷孕」、「寶寶」「孕婦」等等相關字眼，我的耳朵立刻變靈敏，馬上側耳傾聽。當然我也閱讀了相關書籍，包括《新手父母的一歲孩子》、《父母會傷人》……這一切的一切，只是希望不要因爲大人的無知，而造成寶寶難以彌補的閃失與不健康。儘管如此，這方面的相關知識，我了解的程度仍然不足，才會有連「胎兒伸展」、「假性陣痛」、「子宮收縮」都分不清的無助。

我要老婆去請教醫師，可是她「小面神」的個性就是不敢。就像懷孕七個月時，她體重才增加了五至六公斤，我一直擔心胎兒重量不足，於是好說歹說，好不容易說服老婆去跟醫師問個究竟，而她也鼓起勇氣，願意啓動「金口」。可是醫師只回答了一句「夠重」，便惜話如金沒有下文了，而老婆竟然就再沒有追問下去。

這樣的答案實在無法滿足我，什麼叫「夠重」？到底有多重？是否可以具體的以多少公克來回答。我請老婆下回再去問一次。這次醫師的回答只比上次多了幾個字，「妳個子又不高，妳要多重？」最後，當然是不了了之。

一個簡單的問題，歷經了兩次產檢，仍然問不出所以然來。老婆的說法是「反正問得出來就問，問不出來就算了」。我發覺醫師與孕婦都不急，倒是我這個準爸爸，急得好似熱鍋上的螞蟻。

老婆懷孕即將邁入第八個月，這時醫師才給了具體答案，「胎兒約有二千多公克」。這個消息令我欣喜不已，猶記弟媳小芬生下劉想想時，嬰兒有二千六百五十公克；如果依此推算，我們的胎兒並無「斤兩不足」的憂慮。可是翻閱資料對照之下，發覺問題又來了，書上說：懷孕第八個月（卅二至卅五週），胎兒的體重約二七〇〇至三二〇〇公克。如果照書上的說法，我們的胎兒又不夠斤兩了。怎麼會這樣呢？

以前，我的個性也像老婆，靦腆害羞，不愛與人交談。記得國中時期，如果有女同學跟我講話，我會立即臉紅，說話變得結巴，往往都是以最簡短的字句回答，譬如：「好」、「不好」、「是」、「不是」、「對」、「不對」……

如今能夠能言善道、侃侃而談，實在是有不得已的「苦衷」。我因爲行動太不方便了，處處需要別人幫忙，事事需要別人協助，如果不主動開口，嘴甜面善，勢必會動彈不得，坐以待斃。就像我搭乘計程車，需要司機抱上、抱下，在這種情況之下，若不學會察言觀色，和言悅色，極有可能常被拒載，要不就是上了車後，難以下車。就是在害怕動彈不得，坐以待斃的情勢下，我必需讓自己改變，置之死地而後生，讓個性完全「換檔」。

有句話說「時勢造英雄」，而我卻必須是「殘障造英雄」。

我決定了，爲了不拖拖拉拉，決定下次陪老婆產檢，以我廣播人的能力，好好地跟醫師問個清楚，並藉此做一做公關。

第八個月

產婦體重太輕，九公斤說法可信乎？

父親節

父親節之前的星期天，大弟劉鈞、小弟劉鎧偕同老爸一起來我家，除了嫁至香港的妹妹劉鋆，以及在美國遊玩的老媽、姪女劉想想未能參加外，可謂全員到齊。晚餐，我們選擇了位於民權東路的「譚魚頭火鍋」作為提前慶祝父親節的聚餐。老爸從前吃過一次，覺得口味不錯，所以我們再度光臨。

老爸今年七十六歲，身子骨依舊硬朗，這要歸功於數十年如一日的運動，每日清晨他都固定做一個多小時的柔軟操。而身體唯一的退化，就是記憶力減退。老爸常說：「現在最好的就是忘性了，大大的勝過記性。」

有一次家庭旅遊，早餐後，老爸竟然找不回自己住的小木屋，只見他一個人，東張西望，尋尋覓覓，最後，還是被人發覺，領回了這隻迷途「羔羊」。老媽也曾說過，他們倆在香港的百貨公司喝咖啡，老爸表示要去洗手間，結果一個小時過去了，仍不見蹤影，老媽想八成是找不到回來的路。於是，趕緊去「尋人」，赫然在人群中瞥見了「老白頭」的身影。

我們最擔心老爸得到「老人痴呆症」，所以每次家庭聚會，除了吃吃喝喝外，就是陪他老人家「摸八圈」。據說這可以防止「老人痴呆症」。

老爸經常掛在嘴上的口頭禪就是「人家給啥，我就吃啥」、「人家不說，我就不問」。人到老時，能夠像老爸這樣不倚老賣老，管東管西，不帶給子女壓力，不讓子女覺得囉嗦，實乃修養與智慧所成就。

當我們全體舉杯祝賀老爸「父親節快樂」後，接下來便是揚揚祝劉鈞，依依祝劉鎧「父親節快樂」。以往面對此情此景，總因膝下空虛有些遺憾，只好使用「轉念大法」來沖淡負面的情緒。今晚，當這樣的畫面再度上演時，我的心情卻完全不同了。心底不自覺地升起一股暖意，因爲明年的父親節，我便可以擁有「父親」這樣的身份了。屆時，儘管女兒亮亮可能還不會說話，但老婆已經可以牽著她的小手，逗弄她的小臉，教她說「父親節快樂」。

儘管「父親」的角色越來越不好扮演，任務更加艱鉅，但是，我仍甘之如飴，因爲這會是一種甜蜜的負擔。我喜歡「父親」這樣的頭銜。

床上的秘密

晚上上床後，臨睡前的這一段時間，是我們夫妻傾吐心中秘密的時刻，兩人依偎在一起，靜靜地聆聽對方訴說。不像其他時間，我說話時，老婆不是在掃地（這是最常做的事），就是在做家務事；她說話時，我不是在看電視，就是在看書、寫日記，對她的問話，有一搭沒一搭的。

床，可以讓人放鬆心情，卸除防衛，容易讓人聽到心裡深藏的聲音。

剛結婚不久，老婆曾對我說：「我不敢愛你愛得太深。」

「爲什麼？」我詫異地問。

「如果我愛得太深，有一天你離開人世，我會無法承受這樣的痛苦。」

原來是這麼回事，我將老婆抱入懷中，拍拍她的頭：「妳好傻，你不深愛我，我會死，你深愛我，我也會死，既然我早晚都會死，你選擇了後者，至少我們還曾經有過這麼一段彼此深愛的美好時光，如果妳選擇前者，這一段婚姻不是什麼都沒留下嗎？」

老婆沈思了半晌，繼續說：「可是，至少我不會那麼痛苦。」

「不論最後是你先離開，或是我先離開，活著的人都會傷心難過，我就不信，因爲你少愛我一點，痛苦也因此減少一點，再說，妳是神吶！可以把愛控制得伸縮自如，可以少愛或多愛一點。」

「我眞的害怕你不在，只剩下我一個人的時候。」

「好，我答應妳，一定會努力地活著，這樣好不好，我們來比賽看誰活得久。」

我的答案似乎塡補到她的不安全感，她的手把我抱得更緊了。

「你說眞的哦。」

「當然眞的。」

又有一次，老婆跟我說：「我好羨慕路上的情人或夫妻，可以手牽手地散步，可是我們卻做不到。」

我們的確做不到，外出時，她的雙手必須推著我的輪椅，以致無法多出一隻手，和我牽手而行。這讓我想起有一位坐輪椅的朋友說過，他的女朋友之所以離開，就是因爲對方表示，下雨天時，兩人無法共撐一把傘出遊。記得當時我是這樣安慰他的，離開也好，如果對方在意的是你所欠缺的，是不能也非不爲也。那麼，這樣很難相處在一起，分手是早晚的事，不必爲此難過，更毋需因此責怪自己的「殘障」。

然而，這樣的話我不能對老婆說，我們已經是夫妻了，不能爲了這樣的事情，意氣用事，說分就分，我應該做的是如何解決這樣的問題。於是我說：「誰說我們不能牽手」立刻我就牽住了她的手。

「儘管外出時，我們無法像一般人手牽著手，可是睡覺的時候，我可以一直牽著你的手，這樣的時間不是更長嗎？」

從那次交談後，每晚我們都是牽手而眠，直到天明，有時，由於翻身手分開了，但半夜醒來如廁時，又會讓分開的手牽著。

老婆懷孕後，有一天她用手撐著頭，斜著身子半躺著，嬌嗔地對我說：

「你愛我嗎？」

「我當然愛妳呀！不過，我不喜歡妳做一些高難度的動作。」我有些轉移話題。

「什麼高難度動作？」她似乎對這話頗感興趣，繼續追問。

「就是挺著大肚子，以狗趴式的動作在浴室擦地。」這就是我所謂的「高難度」。每次洗完澡後，她就是這樣趴在地上，用布把地上的水漬擦乾。

「這那叫高難度。」她辯駁地說。

「妳沒懷孕時，這當然不是什麼大不了的動作，可是現在有孕在身，這就是高難度的動作了。」我解釋給她聽。

「如果不把水擦乾，磁磚很容易發霉，孳生細菌。」

「我又不是教妳不要擦，只是換個方式，譬如站著用拖把拖，一樣可以達到清潔的效果。」

「你不在家的時候，我還跳上、跳下呢！」她脫口而出，自爆內幕。

「你說什麼！」我瞪大眼睛看著她，音量如同眼睛般由小變大。

「沒有啦！」這是她的口頭禪，每次開口，她一定要先說這句口頭禪，否則好像其他的話說不出來。

「跳上、跳下還不是爲了打蚊子、蟲子，這些東西好噁心啊！」

老鼠，是老婆的最大剋星，她年少時便與老鼠不共戴天，似乎從此結下樑子，電視只要出現老鼠的畫面，她就立即轉台；學生時代的書本，若有被撕去的頁張，那準是有老鼠的圖片；就連平常講話提到「老鼠」一詞，她都會覺得噁心。因此，每當老鼠在她身旁出沒，她完全沒有招架之力，唯一能做的，就是一面大聲喊，一面逃之夭夭。

萬萬料想不到，老婆卻嫁給一位「屬鼠」的老公。

說也奇怪，蚊子只咬老婆不咬我，這也是她與蚊子誓不兩立的原因。每當夜闌人靜，嗡嗡聲響起，她就立即起身備戰，執起「捕蚊拍」，彷彿警察捉小偷，時時提高警覺，仔細注視每面牆、窗子、櫃子，以及蚊子可能落腳之處。有好幾個深夜，當我醒來又呼呼大睡時，她仍不死心地與蚊子僵持、對峙，直到她精疲力竭才放棄。

「拜託好不好，妳以爲自己是特技人啊！居然還跳上、跳下，這已經不是高難度，而是高危險動作了。」

「不會啦！」老婆很有自圓其說的本領，有些事，基於安全考量，我不讓她做，她都說：「不會啦！」一旦事情發生，應驗了我說的話，她又有話說：「我怎麼知道會這樣？」

前一句，乃不信邪的心態作祟，後一句話，則是推托之詞。所幸，這套「不負責」的說法，早已被我識破，於是，我常把這兩句話背給她聽，以子之矛，攻子之盾。其實，說來說去，還不爲了肚子裡的胎兒，讓我變成了叨叨絮絮的「管家公」。

我常想，許多人會婚姻破裂，往往不是什麼大問題，只是一些芝痲小事經年累月堆積而成的壓力。感謝我家這張床，成就了這一段「交心時間」，讓我們透過不設防的溝通，化解了許多深植老婆心中的秘密與疑惑。

因爲這張床，我們才能夠在夜深人靜時，兩隻手依然緊緊牽繫著。

九公斤之說

如果不是老婆有身孕，某些電視節目，是永遠無法讓我目光停駐的。

主持人支藝樺訪問藝人賈永婕，談到產後瘦身的情形，她們談到日本婦女懷孕時，體重最多不可越過九公斤，因爲九公斤是個警戒線，一旦超越，醫師就會發出警告，有的醫師甚至會開罵。

日本人認爲孕婦體重超過九公斤，超出的部份，非但不會轉嫁至胎兒身上，反而會胖在媽媽身上，這對孕婦產後瘦身不利，會造成事倍功半的影響。

對哦！與其產後想盡辦法甩掉多餘的贅肉，毋寧產前有效控制體重，抑制肥胖發生。沒想到「預防勝於治療」的觀念，對於孕婦產後的瘦身也一樣地適用。

這樣的說法，就我而言是增廣見聞，獲益良多。只是在台灣，這方面的認知是偏差的，大部份的人，特別是一些長輩，總認爲孕婦應該多吃點，肚中的胎兒方能獲取足夠的營養，才能生出頭好壯壯的寶寶。然後就鼓勵孕婦大吃特吃，一日多餐不停地餵食，孕婦被當成「神豬」般養著。有著模特兒身材的賈永婕，懷孕期間體重就足足增加了十五公斤。

老婆懷孕至今，體重只增加了七公斤，若以日本的標準來算，目前一切尚稱正常，並無體重不足情形，這樣的訊息多少讓我吃下一顆「定心丸」，不再擔心胎兒斤兩不足。雖然放心了，我卻還是希望築個「三公斤」的願景，希望老婆在臨盆前，再增加三公斤，湊成「十公斤」。就算討個數字的吉利，來個「十全十美」吧！

晚餐，帶老婆至家附近的「竹田」吃日本料理，點了一條要價三百六十元的烤碼頭魚。據說日本的孕婦，每天至少吃一條魚，這對胎兒的營養有莫大的助益。無論如何，不管花多少錢，我只希望在老婆懷孕的最後一段時日，全力衝刺，爲老婆「補」出三公斤。

不知日本所謂的「九公斤之說」，是否適用於台灣的孕婦？不明白的問題，愈積愈多。決定一定要好好跟名醫李義男請益，請他解惑、指點迷津。

第九個月

殘障造英雄！・陪同老婆去產檢

與名醫對話

老婆懷孕邁入第三十六週之時，我決定「御駕親征」，陪同去產檢。主要仍是老婆「小面神」的個性，許多疑問都羞於啓齒，不好意思問醫師。

行前多少仍有些忐忑。我知道自己的個性，本屬內向、羞怯，會這樣外向、活潑，其實，完全是「換檔」而來的。然而在面臨一些重要事情之際，「老我」的性情便會不言自主地蠢蠢欲動。緊張、不安即是最明顯的徵兆。這時候，我就會開始「換檔」，告訴自己「這是身爲老公責無旁貸之事」、「我已經在日記裡宣誓了，豈可食言而肥」來催眠、激勵自己。

「李義男婦產科」座落於大樓中的四、五樓，四樓爲婦產科，一進大門，正對面是服務台，而映入眼廉的，則是服務台左邊牆上「婦科泰斗」氣派的匾額，而右邊的牆上又是一面「婦產權威」匾額，好不威風。沒想到這位名醫「左右逢源」，左手握著「泰斗」，右手掌於「權威」。這些匾額都是來頭不小的人物贈送的。

五樓則是坐月子中心，老婆生產後，會來這裡坐月子。在值班護士引領解說下，知道這裡有五間大房，十二間小房。我們並實際去了解大、小房間的差別在那裡，主要還是房門是否輪椅可以進出，以及房間是否有足夠的空間可讓輪椅駐足停留。

總不能老婆在房裡坐月子，老公則因受到環境障礙的影響，只能在房外如同警衛般地守候，無法進入。

對我們而言，環境的方便性更優於價格的考量，所以，我們選擇了大房間。

終於見到外傳「李七潘五」中的「李」義男名醫的廬山眞面目。所謂「李七潘五」指的是李義男月入七百萬元，潘世斌（這家婦產科也在住家附近）月入五百萬元。

我並非迷信「名醫」之人，當初，實在因爲SARS的關係，才會決定從馬偕醫院轉來這裡。還有一個原因就是，離家近，不需要搭車，步行僅需三分鐘就到了。至於昂貴的「錢事」，只有日後做牛做馬了。

想像李義男應該高高瘦瘦的，實際看到後，恰恰相反，他長得矮矮胖胖的，頭大大的，並有著好似台北縣長蘇貞昌般的「電火球」。看到他的那一刻，好想跟他一起高喊「衝！衝！衝！」。

李醫師精神頗佳，面帶微笑，若非頭頂洩露年齡，實在瞧不出已有六十多歲了。老婆曾參加他所主講的「媽媽教室」課程，知道他是一位頗懂得生活與養生之道的人。

輪到老婆看診，我陪同進入診療室。如果不是婦產科的話，其他的人一定以爲我才是「患者」。

「李醫師，您好，我是陳淑華的老公，陪她來產檢。」這是我行禮如儀的開場白。

「我知道，你當然是她老公，才會陪她來產檢。」李醫師的回答冷冷的，一點也不親切。他的話似乎是說，我剛才的那句話是「廢話」。

這樣的挫敗，讓我立刻改變戰略，我決定不哈拉了，立刻單刀直入，讓他在最短的時間內對我建立好印象。

「目前，我正在著手寫第三本書，主要內容就是記錄老婆懷孕、生產的過程。」述說的同時，我隨即遞上警廣的名片：「這是我的名片，今後會有許多問題請教李醫師，所以，今天特來向您致意。」

李醫師端詳了一下名片，眼睛突然爲之一亮：「哦！原來你是廣播人，難怪說話這麼標準、好聽。」

「謝謝。」我禮貌性地點點頭。

李醫師的態度開始變得親和起來，接著便說：「你的面相看起來很好，很和善，這叫做相……」

「相由心生。」我立即接上，算是替他解圍。

「你有什麼問題，現在就可以問我。」李醫師也釋出了善意。

「請問李醫師二個問題，第一，我老婆懷孕九個月了，至今體重才增加七公斤，是不是太輕了。第二，最近老婆的褲底會有一些分泌物，有點黏稠，是不是羊水流出來了？」

之前，都是老婆獨自來產檢，這些問題她是開不了口的。這也是我陪同她來的目的，代她發言。

「這兩個問題，等超音波檢查完再回答你，還有呢？」李醫師的話匣子似乎被我打開了。

我當然是有備而來的，怎可讓李醫師以爲我前面所言，只是場面話而已。

「老婆的肚皮經常會好撐、好脹、好硬，每個人的說法都不一樣。有人說是胎兒伸展，有人說是假性陣痛，也有人說是子宮收縮，這到底是什麼原因？」這也是我一直想解開的疑惑。

「你不要問其他人，問我就對了。」李醫師繼續說：「這叫做假性陣痛，也是子宮收縮。兩者之間就像國旗和國家一樣，居然有人說，國旗不等於國家，眞是頭殼壞去。」

我心想，他還眞能扯，竟然「牽拖」到用國旗和國家來做譬喻。

老婆說，以往她的看診時間十分短促，不出一分鐘左右就結束了。至於詢問任何的問題，李醫師皆是笑而不答，都以「沒問題啦」、「一切OK」等代替。

可是現在我們之間的對話已有五分鐘了。

超音波檢查時，李醫師又把我叫了進去。

我注視著螢幕躍動的明暗影像，傾聽著李醫師的說明。

「這是胎兒的頭。」說著便從影像中量其頭圍，觸下按鍵後，機器中迅速吐出超音波圖片。

「這是胎兒的心跳。」此時便傳出十分清晰，甚至有些大聲，噗通、噗通的響著。

接著李醫師又指向一個黑白相間的長條塊狀表示，「這是脊椎骨」。然後又是一塊黑色區域，「這就是羊水」……

老婆表示以往超音波檢查，李醫師在隆起的肚皮上，只是隨意掃瞄幾下，不過一分鐘左右，就算了事。而且，根本沒有這些解說。

如釋「重」負

第二次陪老婆產檢。

李義男醫師雙手在老婆隆起的肚皮上搓揉、撫弄，彷彿熟練又毫無顧忌地把玩一個大西瓜。對於老婆的大肚，我向來是只敢近觀不敢觸碰，只有在老婆祭出「你不愛孩子哦」的令箭時，才願用手輕輕滑過。

其實，我是有苦衷的，因爲受到小兒痲痺症的波及，雙手無力，深怕撫摸肚皮時，力度無法有效地掌控，傷了胎兒。那可是罪惡深重，難以饒恕。

注視著李醫師如此地自然、順手，眞教人羨慕，名醫就是名醫，醫技精湛，難怪牆上掛著匾額「婦科權威」。

「請問，胎兒目前有多重？」趁勢我提出困惑已久的問題，期待能夠獲得醫師具體的答覆。

以往，老婆也問過此一問題，不過李醫師的答覆十分籠統「二千多公克吧！」

到底是二千多少？是二千一百克，或是二千九百公克，兩者之間的差距很大耶！既然醫師沒有明說，老婆的個性又不好意思追問，所以這個問題，始終成爲不了了之的懸案。

記得第一次陪同老婆產檢，我也同樣問了「胎兒有多重」的問題。李醫師回答說：「胎兒現在三十六週，可是卻只有三十四週的體重。」這句話讓我的心涼了半截。之前，我就覺得有些不對勁，因爲在我明查暗訪的「過來人」中，任何人的體重都超過老婆。想到這裡，心頭一陣酸楚，我甚至還以日本人所稱的「九公斤之說」來催眠自己。

此後，我扮演起了「催重捕手」，開始我的「田園調查」。弟媳小芬說要多吃牛肉，廣青「聽你說」心情支持專線的督導吳秀鑾說要多喝雞湯，警察電台的主持人陳亭說，凡是含有豐富蛋白質的食物都有幫助……。

產檢之前的晚餐，我就「強迫」老婆去涮涮鍋吃牛肉。一客美國超級牛肉，僅有薄薄的五片肉，就要價三百元，我皺頭皺也不皺，欣然接受。在最後關頭，只要能增加胎兒的重量，即使一萬元換取一公斤，我仍會照單全收。

先把思緒從牛肉拉回到診療室吧！

「胎兒應該有二千八百至三千公克。」李醫師做出如此的說明。是我聽錯了嗎？胎兒的重量竟比我們揣想的超出了許多。然而，字字句句如同暮鼓晨鐘般地撞擊著我。自從得知胎兒的斤兩不足時，我們夫妻每晚臨睡前，都會牽手齊心爲胎兒的重量祈禱。感謝神垂聽了我們的禱告，奇蹟似的應驗了我們的所求。這樣明確的答覆，對李醫師是輕而易舉，對我們卻是十分重要。我高興得簡直想飛上雲端！如果不是婦產科還有其他人，擔心被人罵「肖仔」，我一定大聲歡呼出來。

老婆產檢，時間上只是一個星期的差距，我的心情卻有天壤之別。之前的忐忑不安、牽腸掛肚，如今總算如釋「重」負。

第十個月

養兵千日用在一朝！·美夢即將誕生

未出生・先轟動

八月七日，我在中國時報浮世繪版發表「寫給將出生的女兒」一文。全文如左：

再不久，我們將在這個對妳完全陌生，對我十分熟悉的世界相會，並且以歡欣鼓舞的心情，來迎接妳的誕生。

妳該怎麼稱呼我呢？「爸爸」、「爹地」、「父親」……還是「老爸」好了，因爲生妳的時候，四十三歲的年齡確實有點老了。原本就晚婚了，而在婚後的第七年，不抱有任何希望，自覺今生今生將與「爸爸」這種身份無緣時，妳竟意外地在老媽腹中著床成功。

對於這樣的不期而遇，我們充滿感恩，深覺這是老天賜予的最佳禮物。

可是，好事多磨，在懷孕的過程中狀況百出，先是初期的出血，當時以爲即將失去妳，然而妳又奇蹟似地活了下來。接著便展開長時間的臥床，爲了讓好動成性的老媽能靜下心來，老爸不惜以身作則，除了工作以外，也投入了臥床的行列，最後，總算保住了妳。

老媽在懷孕第三個月時，竟然感冒嚴重咳嗽，每一聲的咳嗽，都咳在老爸心坎裡。相信那一段日子，妳一定過得動盪不安吧！而在懷孕第五個月時，SARS疫情造成人心惶惶，於是老爸經常講笑話逗老媽開心，讓她有個好心情、好胎教，以便妳有個好個性。

最近，孕婦最害怕發生的事還是發生了。老媽在一次外出時，不愼跌倒，爲了顧及妳的安危，她不惜以膝蓋與女人最在乎的臉蛋去觸碰地面。儘管這些部位都掛彩，卻換得妳毫髮無傷、並無大礙，只是虛驚一場而已。

每次產檢回來，凝望著超音波影像，得知妳一瞑大一吋，這樣的喜悅與悸動，全身的每一個細胞都喜不自勝。這一切的一切，似乎述說著，任何困難都阻擋不了我們締結父女的情緣。

「亮亮」是我們爲妳取的名字，這可是經過眾家親友集思討論、脫穎而出的。第一個亮字，願妳「漂亮」出眾，第二個亮字，希望妳有「明亮」的人生。

祈求老天能讓妳健康地降臨，然而，抱歉的是，讓妳必需接受一位肢體不健康的輪椅老爸，這似乎不公平，我們可以要求妳，妳卻無從選擇，但向妳保證，老爸一定會給妳一個健康的人生觀，讓妳積極、樂觀地走人生路，因爲老爸就是這樣走過來的。

幾天後的傍晚，接獲聽友胡鐵花（聽友都會爲自己取個綽號）的電話：「劉大哥，有好消息怎麼也不告訴我一聲。」語氣有些責備。

「好消息，我怎麼不知道你在說什麼？」我實在是丈二金剛摸不著頭緒。

「少來，我都親耳聽見了，你還裝蒜，沒有把我當朋友哦。」責備的味道更重了。

「是什麼好消息？你是聽誰說的。」我愈聽愈糊塗，於是提出反問。

「我剛剛在章成節目裡聽到的。」他顯得有些得意，好似掌握證據的徵信社。

「是什麼消息?」我繼續追問。

「章成說你老婆生了，女兒叫劉亮亮，他還點播一首歌曲『亮晶晶』送給你女兒。」他娓娓道來。

「哦!原來是這麼回事。」我恍然大悟，然後說：「章成說得都沒錯，唯一錯誤的是，我老婆還沒生。」

「怎麼會這樣呢?」現在輪到他糊塗了。

「我也不知道，但我會打電話跟章成問個清楚。」我提出了建議：「放心，如果我老婆生了，一定不會忘記通知你的，這樣夠朋友了吧!」

掛了電話。心想，一定是章成把文章看個大概，一知半解之下，便宣布了此一消息。

「章成，」我撥了電話給他：「謝謝你在節目裡，點播一首歌送給我女兒。」

「不謝，這首『亮晶晶』的歌曲送給你的女兒劉亮亮，眞是相得益彰。」

他提出這樣的見解。

「可是我的女兒還沒生出來，你怎麼會在節目裡說她已經出生了。」我提出了這通電話的主要目的。

「嗯，」他思忖了半晌說：「反正都給女兒取名字了，就當她已經出生了。」

好一個自圓其說的解套方法，充分地反映了媒體的渲染與誇大。

認識章成好多年了，他尚在伊甸社會福利基金會工作時，我們便結緣了。即使學的是電機系，然而，他卻鍾愛廣播。離開伊甸後，輾轉去了幾個電台，最後，我們竟成了同事。

如果其他主持人，做出像章成如此烏龍的事，會讓我覺得難以置信，不過章成的健忘與糊塗是出了名的，這點就不足爲奇了。

即便是個烏龍，我仍要感謝章成，這是他的一份心意，比起其他人，只有心動而缺乏行動，他的作爲讓人覺得窩心多了。一直很喜歡章成仍保有赤子之心。

除了爲女兒寫文章、寫書外，我商請了吳靜怡導演，從老婆懷孕的末期、生產，以及嬰兒的成長做影像紀錄。吳靜怡欣然同意，因爲她一直在尋找如此的題材，所以，這樣一拍即合。

原本是蕭菊貞導演要拍的。去年，由廣青文教基金會與公共電視台共同合作而成的「圓缺之間」紀錄片，這是三段式的故事組合而成，我和老婆的故事便是其中之一，由蕭菊貞拍攝。

片中曾問及「生小孩」的問題，老婆回答說：「我們也不是不生，一切順其自然，可是就是沒有。」

豈料，這部片子殺青後不久，竟傳出老婆懷孕的訊息。不知與這部片子是否有些因果關係，或是純屬巧合，不過，至少此片有了續集可拍。

就在這個時候，蕭菊貞接下了大愛電視台連續劇的案子，在如火如荼地拍片中，她早已分身乏術。於是，我主動找上吳靜怡，因爲我不想因任何人或任何障礙，而影響了我爲孩子出生前後做紀錄的心願。

事前的一波三折，像極了老婆懷孕的歷程，或許如此的緣故，這一篇文章的發表，讓我們夫妻接獲許多恭喜的電話與mail，並造就了「劉亮亮」的名字，未演先轟動。

沒有足夠愛的人，是無法給別人愛。

會有那麼一天，劉亮亮必能感受父母給予深切濃郁的愛，讓她能夠將這些愛，去關懷、分享給其他的人。

倒數七日

老婆懷孕邁入第三十八週，若依照李義男醫師所約定的八月二十五日（星期二）上午九時進行剖腹產的時間推算，假使沒有變化的話，那麼，我具有「爸爸」這個身份的日子，開始進行倒數計時，也就是最後一個星期了。下週一此時此刻，將可以看見期待了十個月的寶貝女兒，可以看見我們夫妻結婚七年後的愛情結晶，可以看見綜合我們夫妻長相、流著我們個性血液的小生命。

不知其他的父親，在迎接胎兒即將誕生的前夕，是怎樣的心情？會不會像我這樣既興奮又緊張。

興奮的是，我好喜歡「爸爸」這個頭銜。儘管有人說，要把孩子從小拉拔至大學畢業，估計將會花費新台幣壹仟萬元。這年頭，四處充斥著「人爲財死」的烈士，怎麼會有人願當散財童子，與錢誓不兩立呢？

可是我願意，我願意這樣散財下去，樂此不疲。

緊張的是，胎兒是否平安產下，健康地來到這個世界。懷孕的初期，我們在乎胎兒的長相，眼睛像誰、鼻子像誰；到了中期，我們在乎胎兒聰不聰明，個性好不好；如今，我們只在乎胎兒的「健康」。而之前所在乎的一切，都變得微不足道了。

老婆殷切叮嚀我，小孩出生的第一件事，一定要仔細看清她的手腳，是否完好無缺。

剩下最後七天，在未來的每一天裡，我會眞切紀錄下即將爲人父的眞情告白。

老婆在磅秤上的體重出現了55.6公斤，創下懷孕以來的新高。這樣的數字略感滿意，不過老婆卻一副嫌惡地說：「怎麼又胖了。」

女人就是這樣，又不是胖得不成人樣，連十公斤的大關都沒有超過，何胖之有？再說，懷孕期間體重的逐月增加，乃正常之事，怎麼會用「胖」字來形容呢？

之前，我仍爲胎兒可能「斤兩不足」一事煩惱不已，儘管李義男醫師表示，目前胎兒約有二千八百至三千公克，萬一有個「誤差」，那該怎麼辦？是不是一出生，就要住進保溫箱呢？因此，我希望在最後的幾天，還能瞥見體重計的指針有所移動，即使是少許的增加，都會教人滿心喝采，若能達到我許下的「十公斤」願景，那眞要放鞭炮慶賀了。

本是件令人歡喜之事，而老婆竟說起「風涼話」，她說：「應該是水腫吧？所以體重才會增加。」

據說懷孕期間，內分泌會改變，並帶動性情的改變。也許這是老婆的一種「打情罵俏」，只不過被我不領情的當成了「唱反調」。

但願明早在體重計出現的數字，不會像今日台北股市，創新高之後，先盛後衰，最後以小跌作收。

果不其然，老婆早上起來量體重，體重眞的下降了。

這是第三次陪老婆產檢，也是最後的一次，因爲下週一老婆便要開膛破肚進行剖腹產。有人問，爲何要剖腹產，而不選擇自然產。總是有些無聊的「好事者」提出許多的建議，於是，自然產或剖腹產，便在我們的思維兩端拔河。

幾經考量後，我們的決定「剖腹產」。一來，對高齡產婦而言，剖腹產的過程，發生危險機率較小；二來，對於個子小、骨盆小，像老婆這樣的孕婦，剖腹產可減少疼痛，而不致生得那麼辛苦。

當然，任何事情都是「有一好，沒兩好；有兩好，不到老」。剖腹產的缺點就是有傷口，復原慢，而以後則無法穿低腰褲、露肚皮。據悉，還有腸沾黏的問題。

這樣說吧！反正生產都逃離不了「天下第一痛」。自然產是先苦後甘，而剖腹產是先甘後苦。

此次產檢，李義男醫師再次確認胎兒會有「三千公克」，讓我的心情變得更加踏實。當然，我也和李醫師確認，生產的當天，我會進駐手術房陪產，並請吳靜怡導演拍攝全程，紀錄小生命誕生的歷史畫面。李醫師表示沒有問題，他會全力配合。

淑玲姊不只一次的問我，真的要陪產嗎？她開玩笑的表示，萬一看了當場昏倒，醫師還要爲我急救，不是很麻煩嗎？她眞是想太多了，或許，那是她自己膽小的投射吧！只要醫師同意，我爲什麼要放棄這難得的歷史一刻。況且，現在許多先進國家愈來愈主張爸爸陪產的做法，讓男性好好的體會女性生產的辛苦。

這樣也可以讓父母親深切感受孩子得來不易，而能好好珍惜，好好教育。對子女而言，爲他們保有如此的歷史畫面，多少可以體會母親懷孕、生產的辛勞與痛楚，以便從小就能懂得孝順。

我知道，這樣做，是在創造一個雙贏的局面。

時間進入最後三天的倒數計時。

最令老婆擔心、掛慮的，並非她的生產，而是她在坐月子這一個月的期間，誰來照料我，我的生活起居又該如何？

還不只這些，她還擔憂進入李義男婦產科大樓，搭電梯之前有二個階梯，我該怎麼辦？

她開始告訴我，內衣褲放在什麼地方，行動電話的座充在哪裡，要記得充電。包括小到連洗完澡我必用的棉花棒，都放到床頭我方便取得之處……

自從結婚後，她把我的生活起居照顧得無微不至。我承認，自從結婚後，我的生活自理，變得愈來愈低能了。我打趣地告訴老婆，還好只有一個月的時間，若是她要到國外讀書個一、二年，我可能就要重回廣慈住一段時日了。

在她的眼裡，我似乎愈來愈像個長不大的孩子。

我告訴她，好好坐月子吧，無需爲我的事，弄得大腸小腸糾結在一塊。能夠歷經廣慈磨練出來的人，雖非三頭六臂，但也非同小可。這些生存的能力，我早已具備，只不過浸淫於婚姻中的「溺愛」，能力是有消退，但絕非消失。

當處於如此的「備戰」時刻，能力便能自動恢復，宛如無敵鐵金剛一般。

「老婆，妳對我愈放心，我就愈不會讓妳擔心。」我拍著胸脯告訴她。

我知道她很難聽得進去，如同父母親永遠也放不下對子女的記掛，我想這應該就是永不褪色的「關愛」吧！

倒數最後二天了。

岳母眞的爲老婆燒香祈福去了，而且鄭重其事，去了一間她自認頗靈驗的「大道公」。

昨晚，我提出這樣的請求，只是隨口說說。岳母家中供奉著祖先牌位，她老人家初一、十五都會拜拜，她只要對著陳氏列祖列宗祈求，保佑老婆生產順利，小孩平安健康就足夠了。想不到岳母卻頂著豔陽，冒著酷熱至外面祈願，尋求法力更高超的註生娘娘。

妹妹劉鋆、袁劍偉夫婦，搭乘下午四時的班機，自香港返台，如同趕赴金馬獎盛會般地，來接迎劉亮亮的誕生。想不到，這個小寶貝的出生，將眾多親朋好友的視線與腳步凝聚在一起。

日後，待劉亮亮稍長解事，她一定會覺得自己是多麼幸福，有如此多的親朋好友，在她出生這一天，引頸企望，爲她祝賀。

伯朗咖啡館唯一適合我坐的那張桌，始終有人，於是，改在國賓一樓的阿眉餐廳喝下午茶、寫東西。我告訴自己，這樣的「下午茶時間」需暫停一個月（老婆坐月子），甚或更長時間。

每週六我們夫妻都會陪同岳父、岳母吃晚餐，除非我有演講或活動，否則這樣的聚會照常進行，而且行之有年了。

陪同的還有張哲綸、張儀勻，這幾乎已成固定班底了。我們選在「秋吉串燒」。席間，我同樣告訴他們：「這樣的聚會將暫停至少一個月以上。」我又舉杯表示：「謝謝你們在淑華懷孕期間，對我們的協助。生產之後的坐月子，還要請你們繼續幫忙。」

他們回以微笑，並點頭稱是。除了岳父，他多半都在狀況之外，他人儘管在我們這桌，目光始終在這桌之外。直到請他給淑華一句祝福的話，他仍未回神過來。

岳父如此的舉動，在我如簧之舌的鼓動下，逗得哲綸和儀勻不時發笑。

這樣的「失神」，不知是他老了，或是個性問題。

總之，「老神在在」這句話，在他身上是不適用的。

明日，便是揭曉答案之日。

儘管有句話說「明日復明日，明日何其多」，但「明日」對我有著舉足輕重、意義非凡的一天。

從小至大，每逢農曆春節，我們劉氏家族的賭具中，總少不了玩上幾把「天九牌」。它的玩法簡單易懂，十分快速。不需要技巧，完全靠運氣，一翻牌便決定輸贏，我們稱爲「一翻兩瞪眼」。

明日，即是「一翻兩瞪眼」的時候。而最教人注目的是，明天這把牌，賭注押得很大，所以，輸贏很大。

既然這是一場不需技巧，全憑運氣的賭局，是故，從老婆懷孕期間，每晚臨睡前，我們夫妻必攜手爲肚中的胎兒祈禱，願神保佑與賜福，讓寶寶平安、健康地來到這個世界。

另外，孕婦懷孕期間的禁忌，我們也是寧可信其有。譬如：切勿整修房舍，不可在牆上釘釘子，以及不可任意拿取陳年舊物，甚至小到不可在寢室修剪指甲等等。據說，這些舉動會驚動「胎神」，以致對胎兒有不良的影響。

這一切一切的努力，無非是爲了累積明日的好運氣。正所謂「養兵千日，用在一朝」。

歷經此事，深感人的能力有限，許多事情仍是心有力絀。不知是誰想出的「人定勝天」這句話，年歲愈長，愈覺得人怎麼可能勝得過天呢？若是老天不憐憫、不眷顧、不成全，人們就算再多的努力，都可能是枉然，轉眼一場空。

或許，當人們懂得謙卑、慈愛，不再與老天對抗時，老天所掌握的運氣才會源源不絕的加添給我們，助我們一臂之力。

其實，我已做了最壞打算，如果生出的是一個缺陷兒，以我多年殘障的經驗，也會是一個稱職的父親。我在禱告中說：「主啊！我希望這樣的殘障經驗，永遠也不要派上用場，請憐憫我的自私與軟弱，更祈求在明日之時，賜給老婆、胎兒無比的好運氣，阿門！」

產後一個月

錄影機產房跟拍！·亮亮生日快樂

陪產

陪產，這是我主動提出的。另外，還要求攝影機進入拍攝，李義男醫師欣然同意。

之前，曾看過一則電視廣告，一位準爸爸進手術室陪產，當嬰兒出生後，醫師隨即抓起嬰兒、拍打屁股，讓他發出哭聲。一旁的老爸見狀，以爲醫師欺負小孩，又見小孩哭聲不斷，一氣之下，當場一記老拳揮向醫師，只見醫師立刻昏厥過去。

當然，我不會像這位老爸這麼沒常識、這麼遜。不過，手術房裡會發生什麼事，誰也不敢預料。會不會出現難產，失血過多，或是其他緊急狀況……

但是，有一點是教人放心的，在陪產的過程中，有我這雙「肉眼」以及攝影機的「電眼」雙重監督下，萬一有什麼醫療糾紛，至少有人證與物證可考，不至於死無對證。當然，李醫師既然敢讓我們陪產，深信一定是醫術精湛，有萬全的把握。我知道有些醫師是不同意陪產的。

穿上消毒衣，戴上帽子、口罩，我進入手術室。映入眼簾的是已完成消毒、麻醉前置作業的老婆，靜靜地躺臥在手術檯，彷彿一隻待宰的羔羊。我知道自己沒有懼怕的權利，因爲那隻羔羊，將要爲我產下一隻小羊。

我將輪椅滑了過去，對著下半身麻醉，上半身仍清醒的老婆說了一句「加油」。我瞥見她眼眶中的淚水。

我又退回了醫師指定的位置，一座「布牆」阻斷了我與老婆。想著在另一端孤軍奮戰的老婆，內心便盪漾著百般地不捨。這一刀是爲我挨的，血是爲我流的。

九十二年八月二十五日（星期一）上午九時二十分，醫師在老婆隆起的肚皮，劃下歷史性的一刀。五分鐘後，肚裡肚外的兩個世界接通了，也開啓了我們父女情緣。

凝望著自肚皮中被拎起的泛紫色嬰兒，以及她發出的宏亮哭聲。「亮亮」果然名副其實，與這個世界打招呼的聲音完全展現了她的「亮度」。

我目不轉睛盯著活動小床上的亮亮，護士小姐為她擦拭全身，並用機器抽除口腔中的黏液，她依然放聲哭著。

明知道自己的殘障並非遺傳，仍不免仔細端詳嬰兒的手腳，當她四肢活力十足舞動時，好一個「拳打南山猛虎，腳踢北海蛟龍」的架勢，瞬間讓我熱淚盈眶。

大多數的殘障朋友都患有這種「通病」。視障者會迫不及待地詢問一旁的親友，小孩的眼睛看得見嗎？而聽障者則會透過手語想知道，小孩有沒有發出哭聲？總之，不同的障別，都會不由自主急著想了解出生嬰兒是否有相同的缺陷。

手術室的擴音器流瀉出「生日快樂歌」，在場的醫護人員紛紛對我表示「恭喜」。一個新生命的誕生，的確值得恭喜，同時對我而言，這也是一個新生活的開始。

在歐美許多國家，興起「老婆生產，老公陪產」的做法。有人說，陪產會讓老公有好一陣子「性事」缺缺。我倒覺得這反而會讓老公更珍愛這個得來不易的寶貝，一想到老婆生產的辛苦，自然不易出軌、發生外遇才對。

陪伴

噗通一聲，在深夜裡顯得格外響亮，驚醒中睜開雙眼，亮亮已從老婆懷抱中摔落。隨即傳出亮亮的哭聲，瞬間的驚嚇，我的心臟幾乎休克，整個人也完全清醒了。老婆從瞌睡中驚醒，快速地將亮亮抱回懷中。多虧床邊的梳粧台挽救了這個小生命，若是直接跌落地面，後果實在不堪設想。

懷胎十月的辛苦，剖腹產的疼痛，這一個月來日以繼夜照顧嬰兒的勞累，差點兒就前功盡棄。不僅是我們期盼已久的愛情結晶沒了，連日後許多美麗的夢想也破滅了。想到這裡都頭皮發麻，不寒而慄。

睡意全消，我呆呆地坐在床上，老婆把亮亮抱往客廳，關上了客廳與寢室的這扇門，彷彿關上了我們溝通的門。與其說我被黑夜包圍，毋寧說我被難以平復的情緒呑噬著。

我幾乎要對老婆破口大罵：「妳爲什麼這樣不小心，萬一寶貝摔到地上，那該怎麼辦？我不是跟妳說過了，不要一邊打瞌睡，一邊抱小孩……」

我想老婆一定很自責，不過她的倔強脾氣就是開不了口說「對不起」，反而會以我無法體諒箇中辛勞爲由，一股腦兒地數落我的不是。

曾經讀過一篇小故事。有位父親臨出家門前，看見桌上放的藥瓶沒蓋上蓋子，由於他急著出門，便大聲對著在廚房的妻子說，要記得把藥蓋好。而這位母親忙於家務，壓根兒忘了這件事，直到頑皮不解事的孩童，誤將藥丸當作糖果大量吞食。在送往醫院急救時，小孩已回天乏術，母親自責、痛哭流涕、難以自己。又想到當丈夫趕來時，不知該如何交待，如何面對。可是當丈夫抵達醫院時，他的第一個動作卻是緊緊抱住妻子，只說了一句話：「老婆，我愛你。」

這則故事讓我深受感動，可是，我爲何不能將此感動化爲具體的行動，落實在自己的生活中？我應該對老婆說：「感謝老天，這件事情還好有驚無險，妳一定嚇壞了。」唉！想歸想，隔天自電台返家，搭電梯時，我還是忍不住地責備老婆幾句。

我知道，這是日後我該學習的功課，儘管這些日子，除了外出主持廣播節目，幾乎都是深入簡出，希望有多一點時間陪老婆、小孩。這也是爲什麼自十月開始，我忍痛辭去了服務十二年之久的廣青文教基金會工作，因爲這樣我才能多騰出一些時間陪伴她們。

對於我離開廣青許多人感到不解，也有人表示爲什麼不兩者兼顧？我告訴他們，廣青面對的是一份「工作」，而小孩則是面對一個「生命」。工作可以暫停，可是生命卻無法重來。當我們在小孩子需要我們的時候缺席，有一天，小孩子也會在我們需要他的時候缺席。

電視廣告中的唐先生，因爲打破老婆心愛的蟠龍花瓶，而以做不完的家事，來洗滌自己的罪惡。而對於我無法分擔照顧貝比，幫她餵奶、洗澡、換尿布等事，我決定花更多的時間，像守護神般陪在她們母女身旁，來彌補我的殘障。

身爲老公與老爸，我知道做得仍不夠，我會繼續努力。

謝天

在親友們的祝賀、恭喜聲中，我總會回答一句「謝天」。真是應該好好謝謝天！

感謝老天讓我在結婚七年，年過四十，早已不抱任何希望，認爲今生今世與孩子無緣時，竟然能夠「老來得女」，光是這一點，就夠讓人謝天了。

回顧老婆懷胎十月，豈是一句「好事多磨」了得。從出血、臥床、咳嗽、SARS、跌倒……直到產前憂慮不已的「胎兒斤兩不足」問題。如今嬰兒以「二八五〇」公克的重量，健康、平安地誕生，之前所有的牽腸掛肚都化爲烏有。尤其，連一般嬰兒普遍會有的「黃疸」，都未出現在亮亮身上，這一切的一切，又讓我不免再次謝天。

還有，老婆產前的體重是五十四公斤，增加七公斤，幾乎一半的重量皆移轉至胎兒身上，嬰兒得以免入保溫箱。而老婆在產後一星期，體重器顯示的數字是四十七公斤，較生產之前，不多不少，剛好減少七公斤。

哇塞！傑克，太神奇了，根本就沒有產後的瘦身問題嘛！這是令許多產後想要瘦身的婦女，既羨慕又嫉妒的事情。

我對老婆說，她可以寫一本書，書名是《產前產後，不胖不瘦》。相信銷路一定比我的書更好。

當我與老婆事後津津樂道，歡喜不已時，完全忘了答案未揭曉前，它原是一樁令人困擾，好生煩惱之事。原來，憂喜就跟福禍一般，是相伴相隨，一體兩面的。最後，就像丟銅板，呈現出的那一面，是憂，或是喜，完全不得而知。

有句話說，努力不一定會成功，耕耘未必會有收穫，端看老天是否成全。原來，掌控這一切的，不是人，而是天。

謝天，謝謝老天的賜福，遠超過我的所求所想。

2

產後二個月

寶貝，寶貝不要哭，眼淚是珍珠！

黃金與大便

當許多人正爲十月十日國家生日普天同慶時，我們家也有值得喝采之事，那就是亮亮終於大便了。

之前，亮亮一連五天未大便，我們急得趕緊去看醫師，在醫師眼中，這並非什麼大不了的事，尤其喝母奶的嬰兒，由於母乳無雜質，一個星期沒大便的大有人在。在父母眼中好生煩惱之事，到了醫師口中，似乎都變成大驚小怪。

這次亮亮又創新紀錄，一個星期沒有大便，我們又開始憂心不已，並且爲此祈禱，但願早日喜見「黃金」。

原本，大便是十分噁心，令人作嘔的東西，卻被我們形容成「黃金」，可見，在父母親的心中，孩子猶如「寶貝」般，就連排泄物，都不覺得髒臭，而以「黃金」視之。

如果眞的黃金與如此的「黃金」讓人快擇，想必絕大多數的父母仍會揀選後者。因爲「黃金」的現形，等於爲腸胃的暢通，掛上了「健康」的招牌。

每一位父母都希望孩子健康長大，一旦孩子的健康亮起紅燈，即使用眞實的黃金來換取身體健康，相信也在所不惜。許多殘障者的父母，爲了醫治孩子的疾病，有人變賣家產，有人借貸度日，眞的就是以黃金來換取健康。這樣的故事，我們的廣播節目訪問很多了，其中還包括我自己在內。

當初，父母親爲了治療我的小兒痲痺症，西醫、中醫幾乎看遍了。甚至，聽說那裡靈驗的巫醫，也不放棄一試的機會。當然，金錢就彷彿流水般流光了。當時，家裡的經濟與家人的心情一樣，都深陷愁雲慘霧之中。聽說連爺爺自軍旅退伍的退休金，都爲了幫我治病而所剩無幾。

我還有這個印象，一位醫生，在我軟弱無力、骨瘦如柴的雙肩，塗滿黑黑稠稠的膏藥，彷彿塗抹水泥一樣。每次塗完膏藥後，爲避免藥物脫落，只好一動也不動的躺臥在床上。醫生說，透過這樣神奇的藥力，可以讓我萎縮乏力的雙手，慢慢變得有力氣。

醫生每來家裡一次，父母都必需支付許多醫藥費，到底是多少錢，現在記不住了，只知道很昂貴。幾個月之後，不知是醫生良心發現，或是什麼原因，他竟然表示，這個偏方對我毫無效果，所以，他以後就不過來了。

這樣的事情我也遇過。記得當時父母親非但未責罵這位蒙古大夫的欺騙行爲（至少我這麼認爲），反而感謝他據實以告，讓我們少花了冤枉錢。

說也奇怪，或許該說奇妙，褓褓中的亮亮，還無法言語，可是，我在陪伴她的過程中，卻獲得許多學習與啓示。不但使我深切體會出「養兒方知父母恩」，也喚起不少失憶的童年往事，變得更鮮活。

渴望抱你入父懷

親愛的寶貝，妳的哭聲，讓老爸從英雄變成狗熊了。

媽咪利用妳睡覺的空檔，到外面買東西，不料，她前腳才剛走，妳的哭聲便隨之響起，先是哼哼啊啊的啜泣，過不了一會兒，便轉換成嚎啕大哭。

在一旁守候的老爸，宛若熱鍋上的螞蟻，焦躁不安。這個時候，如果媽咪在的話，她只要抱妳入懷，妳的哭聲就會立即消失。

可是，老爸無法抱起妳，因著殘障的關係，雙手瘦弱無力，老爸只有乾著急的份。妳怎麼了，是否尿片溼了，肚子餓了，還是做惡夢了……

我只能提高嗓門喊著：「亮亮乖，不要哭了。」然而妳的哭聲不曾稍有停歇，教人心疼不已。

以往，從不覺得自己的「殘障」有何不妥，對外演講時，我仍表示「苦難，是祝福的化粧師」。可是，妳的哭聲，讓原本認爲任何事都難不倒的老爸，顯得心有餘而力不足的無奈；妳的哭聲，讓老爸爲自己的殘障，感到自責與虧欠；妳的哭聲，讓在許多人心目中是英雄的老爸，變成無用武之地的狗熊。

抱小孩，是大部份的父親視爲理所當然的希望，對我，竟成了一種奢望。我曾嘗試抱過妳幾次，不知是否因爲我軟弱無力的雙臂，讓妳感到不舒服，妳身體不斷扭動，急欲掙脫，最後，妳以哇哇大哭做抗議，讓人十分受挫。但仍有兩次成功的機會，媽咪趁妳熟睡後，將妳放入我的臂彎裡。端詳著妳恬適、安穩的睡顏，抱著妳的感覺讓我好幸福，好有成就感啊！

今後，我仍會不斷嘗試，並且向上帝祈禱，相信一定會找到一個讓妳在懷中可以接受的抱姿。

妳的哭聲依舊，我唱著「寶貝，寶貝不要哭，眼淚是珍珠，哭多將來會命苦，賭博會賭輸……」

現在，我唯一能做的，就是爲妳擦拭去自眼角滑落的淚珠。

擠奶

母奶，是嬰兒出生後，第一劑增加抵抗力，減少疾病的預防針。

從坐月子開始至今，亮亮已經兩個多月大了，老婆花了大部分的時間在「擠奶」一事上。

每一位母親都希望以母乳來哺育小孩，這也是增進親子情誼的一種好方法。總之，餵母乳的好處多多，專家學者也鼓勵母親們應該要多多哺育母乳。

老婆懷孕期間，曾發生一件事情。有位親戚勸她，最好不要哺育母奶，因爲老婆個子矮，所以是「矮人奶」（台語），如果餵寶寶母奶，小孩會長不高。爲此，老婆好一陣子心情不佳，一直想著那些話，是眞的還是假？

我告訴老婆，這個世界上總會有一些好事又無聊的人。有句話說：「是非終日有，不聽自然無。」如果要聽信這些人的話，根本聽不完，這樣什麼事都不要去做了。

我是頭一遭聽說所謂「矮人奶」。如果眞是如此，那麼個子高的，就會是「高人奶」，喝了它就一定長得人高馬大嗎？實在是無稽之談。

剛開始，老婆奶水極少，根本無法滿足亮亮的需求，除了以「配方奶」搭配，也開始了預存奶水的擠奶工作。

據說奶水充足的人，奶水是噴射而出，其次，則是滴滴答答泉湧而出。老婆的狀況是好不容易才擠出幾滴，彷彿自枯井中打水一樣。我調侃老婆，她的「大奶寶」是大而無當、浪得虛名。小姨子淑靜表示，這跟年齡有關，年齡愈大，奶水便會相對減少。

眞是難為老婆了，只要一有空檔，便拿起擠奶器，開始了一推一送之旅，推送之間，會發出陣陣的聲響，那種聲音像極了我們小時候，噴灑DDT殺蟲劑的聲音。

不知神界中，有沒有「奶神」？因爲老婆似乎得到奶神相助。慢慢地，

「大奶寶」逐漸地發揮了效用，雖未達到噴射而出的神效，但已經可以如同下雨般，滴滴答答湧出。自從老婆可以完全提供「貨源」後，配方奶也就功成身退。

從此，無論是白天、晚上，即使是三更半夜，只要老婆一感覺有奶水，便會聽到擠奶器所發出的沙沙聲響。

不過，多日下來，老婆在擠奶器的摧殘下，宛若歷經「拔火罐」般，在乳房的四周烙下淤血的紅暈。期間，她還得到了「乳腺炎」，但是她還是忍痛擠下去。

剛開始我還會勸老婆睡覺吧！或是改喝奶粉就不會這麼累了。其實，老婆坐月子的情形並不理想，因爲最重要的休息時間，她都用來擠奶了。

可是，她不以爲苦，仍然努不懈。後來，我就不說了。或許這就是「爲母則強」吧！

驀然，腦海中閃進了孟郊的那首詩「慈母手中線，遊子身上衣，臨行密密縫，意恐遲遲歸，誰言寸草心，報得三春暉」。似乎對這首詩有了更深切的體會。

睡夢中，我又聽見那熟悉的沙沙聲音。

3

產後三個月

寶寶排第一，爸爸等空檔，媽媽排最後

生命藏寶圖

亮亮寶貝，日後老爸會講許多床邊事故給妳聽，像是金銀島、阿里巴巴與四十大盜等，這些故事都是在講如何尋獲寶藏。現在，老爸要給妳一張從未公佈的藏寶圖，而且是關乎生命的藏寶圖。

聖經上有這樣的一段內容：「苦難生忍耐，忍耐生老練，老練生盼望」。當這段話映入眼簾之際，我全身彷彿觸電般，脈膊加快、呼吸急促，眞是心有戚戚焉啊！這正是我一路走來的最佳寫照。

現在如果有人訪問我，用簡單的一句話來形容我的人生，我終於可用這精鍊的話語來做註解了。

殘障就是我的苦難，以往不明白爲何要以忍耐來面對苦難？尤其現在我接觸的許多心理輔導課程，是不主張忍耐的，因爲這是一種壓抑，日積月累的後果，就會如同火山爆發般，一發不可收拾。

可是這些年來，我就是利用忍耐，走過苦難的日子。

有一次，去屏東勝利之家關懷慰問裡面多重殘障的孩子們，一位坐輪椅的腦性痲痺女孩，緩緩地推向我，然後以興奮得意的表情說：「我知道你是誰！」本以為她是要說出我的名字，殊不知她竟然說：「你是從浴缸爬起來的那個人。」

當時，我的《輪轉人生》一書尚未問世，也不像如今有這麼多的演講，不過，就是偶爾有些媒體的報導罷了。沒想到她注意到我了，並言簡意賅地做出十分傳神的描述。從來沒有人這樣形容我，她與眾不同的回答，令我哈哈大笑，印象深切。

從浴缸花了二個多小時才爬上輪椅的故事，在前面已有詳盡描寫，在此，不再贅述。倒是有另一個非常辛苦又痛苦的故事，無人知曉，我也從未對媒體披露。

那就是住在台北市立廣慈博愛院期間的如廁問題，自輪椅下到馬桶容易，而從馬桶爬上輪椅則難上加難，然而，這種十分隱私又無可避免的事，很難啓齒，覺得不好意思請人幫忙。唯一的解決之道，就是自己想方法克服。

於是，我先把好幾張衛生紙，舖在輪椅下方的地面，然後將屁股緩緩挪離輪椅坐墊，懸空對準下方的衛生紙，彷彿飛機投擲炸彈般落下，完成後再將衛生紙連同穢物，一起丟入馬桶沖掉。

這個方法好是好，可是一旦遇到腹瀉，地上的衛生紙就會糊成一團，有點噁心，以致無法用手抓起丟進馬桶。後來改良成舖報紙，問題有所改善，但新的問題也接踵而來，那就是馬桶無法沖掉報紙。

最後，終於想到一勞永逸的好方法，就是使用塑膠尿壺（也稱尿桶）。將壺口緊貼肛門，如此不論排泄物是乾是濕，再也不用擔心了。記得剛開始尋求解決法，經常睡覺做惡夢，夢到自己一肚子大便，充滿了難以排泄而出的困頓與焦慮，直到有了解決之法，夢魘才逐漸減少。

現在回想起來，多虧了忍耐，才得以渡過那段艱辛歲月，也多虧了忍耐，才不斷地摸索出自己的一套生存之道，我想這就是接下來生出的「老練」吧！

只有親身走過忍耐這條路的人，方能深切地體會出忍耐的眞諦，無怪乎古今中外的先聖哲人，對忍耐都能萃取出句句的金石玉語。譬如，胡適之曾說「忍耐比自由更重要」，富蘭克林曾說「有忍耐的人，才能達到他所希望的目的」，而慈濟的證嚴上人也說過：「行忍辱的人，就是一個最堅強的人」。

而老練就是一種做人做事的技能吧！透過努力不懈、精益求精，方能百尺竿頭，更上一層樓地看見「盼望」。

這些年來，我能夠成爲廣播人，榮獲金鐘獎、當選十大傑出青年，得享爲人父的喜悅，盼望能一一實現、美夢眞成，這都得感謝「老練」的造就。

眞的感謝老天的厚愛，如果祂不賜下這些苦難，人們又如何能享有如此的冠冕與榮耀。所以，當苦難來臨時，大家就沒有什麼好緊張、好害怕的了。

然而，果眞能夠和「苦難生忍耐，忍耐生老練，老練生盼望」如出一轍嗎？其實也未必，就如同我小時候玩的尋寶圖遊戲，出發點同是「苦難」之處，不同的選擇，目的地也就不同。關鍵出在苦難之後生出來的是什麼東西？假如你選擇的不是「忍耐」，而是一般人最常犯的毛病，也就是「抱怨」的話，那麼生出來的路線圖則完全不同，而是「苦難生抱怨，抱怨生失意，失意生失敗」。

抱怨是無濟於事的，抱怨容易將好運氣透支光光，最糟糕的是，抱怨讓人錯失了解決問題的黃金時間。

可是，竟有那麼多的人們，在遭遇苦難時，百般抱怨，千般不願，以致最後跌入失敗的萬丈深淵。

如今，我已經把生命的藏寶圖告訴妳，這可是老爸歷經「殘障」的千錘百鍊、嘔心泣血繪製而成。親愛的亮亮，如今藏寶圖已交給妳了，對妳未來人生是否有助益，不得而知，不過，老爸就是這樣走過來的。

陪女兒看病去

向來都是別人陪我去看病，而我陪別人去看病，卻是人生的頭一遭。

之所以從未有過陪人看病的經驗，並非我缺乏服務心，實在是我根本幫不上什麼忙，反倒需要人家抱上抱下、幫忙推來推去。因此我的參與，不是去分擔工作，而是去添加麻煩。

另外，我的出現，不但不會被看成病人的「陪同」，反而會被當成「病人」，實在教人尷尬不已。

「亮亮的耳朵滲出血水。」電話的另一端傳來老婆的焦急不安。

一大清早，去台中演講的高速公路上，接獲老婆的電話。我的心臟猶如遭遇車禍般，被狠狠、重重地撞擊，驚懼不已。

怎麼會這樣呢？會不會很嚴重？除了煩憂著急之外，似乎我什麼事都做不了，再過一會兒就要上台演講了，此時此刻，我得靜下心來。

人生就是如此這般，經常在兩難中掙扎。回到家已經晚上，端詳著睡著了的亮亮，內心有百般的不捨，萬般的不願。才兩個半月的嬰兒，竟要飽受身體的痛楚。

老婆表示，上午已去黃喜祥小兒科看診，檢查的結果是「急性中耳炎」。爲亮亮上藥時，亮亮啼啼哭哭，想必十分疼痛，在一旁的老婆也潸然落淚。

「亮亮，媽咪對不起你。」難怪這幾天深夜，亮亮總是哭鬧不已，原來是耳朵不舒服的緣故。老婆卻不耐煩的抱怨，甚至說出：「你不要再哭了，我好想把你丟掉啊！」

我想老婆是爲誤會亮亮，表示歉意；而亮亮好像聽得懂似的，發出咿咿呀呀的聲音，宛如受到了委屈般的回應，儘管是調不成語。

「中耳炎」是怎樣的一種疾病？對聽力是否造成影響？所幸，台北榮民總醫院蕭安穗主任與我熟識，他是耳科權威，也專攻小兒耳鼻喉等問題。打電話給蕭醫師，說明亮亮的情形，他覺得既然有出血的現象，還是走一趟醫院吧！

翌日，我也加入了護送亮亮去醫院的行列，在行動方面，我知道自己眞的幫不上任何忙，而且，還要加重老婆的負擔，抱我上、下輪椅，推上推下。可是，這是身爲老爸的我，責無旁貸之事。

感謝老婆的成全。

透過大醫院精密的儀器，診斷結果爲「外耳道發炎」。

蕭醫師表示，這要比中耳炎輕微，當然，對聽力方面也不致有傷害。心中的一塊大石頭，瞬間如釋重負的墜落而下。

我知道，今日這塊石頭落下了，過不了多久，又有別的事情，讓這塊石頭爬上心頭。一日身爲父母，勢必一輩子爲子女七上八下、牽腸掛肚。瑞紅來信說：「你要有心理準備，育兒旅程中這樣、那樣椎心肝的事，一樣樣排開要排到玉山頂。」

既然如此，爲什麼還有這麼多人願意生小孩呢？我想是因爲這種種不同的經歷與學習，會讓我們的生命變得更加完整吧！

亮亮的臉上終於露出笑意，如同久違的陽光。

空檔先生與最後太太

自從亮亮出生後，我儼然成了「空檔先生」。

老婆必需趁著亮亮睡覺的空檔，趕忙協助我的生活起居。譬如：洗澡、如廁、張羅飯菜等等。這就是「空檔先生」一名的由來。

然而，進行的過程中，只要亮亮的哭聲一傳出，老婆手邊任何的動作就必須暫停，可能是洗澡到一半，飯菜扒進沒幾口，或是正準備上、下輪椅。除非哭聲停歇了，才有可能繼續未完成的動作。

有時，老婆人在外面買東西，或是繳交一些費用，只要亮亮醒來，哭聲傳出，而我又束手無策、無法安撫時，我便會發出求救的SOS，老婆接獲電話後，會快馬加鞭趕回。趕回的速度好比被十二道金牌召喚。

之所以會取名爲「亮亮」，是希望她長得漂「亮」，未來的人生之路充滿光「亮」。至今這兩個「亮」字的期待都還未出現，卻先領教到哭聲的嘹「亮」，彷彿空襲警報般，令人聞聲色變，毛骨悚然。

有好幾個這樣的午夜時分，屋子仍是燈火通明，因爲我們正在與哭鬧不休的亮亮鏖戰。

我原本準備晚上十點鐘洗澡，卻在亮亮的哭聲發出來後，計畫暫停。我對老婆說，先將亮亮哄睡後再說吧！等到看似熟睡了，一放回床上，哭聲再度響起。於是，只好立刻再抱入懷中，說也奇怪，哭聲立即消失。不知是否亮亮已被抱成習慣了。

慢慢地，等把亮亮哄睡，試著再放回床鋪時，不一會兒的功夫，哭聲又再度響起。老婆說，她快要瘋了，乾脆就讓她哭個夠，我們趕快洗澡吧！我則說，我們要學習「三顧茅蘆」的精神，再不行就是「七擒孟獲」，最後，則是效法國父的「十次革命」。就這樣在「哭」與「睡」之間形成拉鋸戰，直到接近午夜十二點，才搶到二十分鐘的時間，完成了洗澡這檔事。

之後，哭聲又再度大作，於是哭與睡又再度拔河。

當我爲自己變成「空檔先生」感到委屈時，其實還有一個人，是最後一個吃飯、最後一個洗澡、最後一個睡覺，那個人叫做「最後太太」。

4 產後四個月

劉亮亮，點亮爸媽新希望！

乩童顫抖法

透過自創的「乩童顫抖法」，終於我可以如願將亮亮抱在懷中。晃動，乃是嬰幼兒最佳的催眠術。君不見小朋友只要一上汽車，不一會兒功夫，便沉沉睡去。要不然就是讓大人抱在懷中，只要一使出晃動大法，小孩很快就會睡著。

一般人利用身體地晃動來安撫嬰兒，讓他停止哭鬧或慢慢睡著。但是這樣的動作，對我這個重度殘障，雙手瘦弱無力的人，卻是困難的事。

亮亮出生後，有一天，在我電視上看見乩童搖頭晃腦抖動著，突然間，一個念頭閃進腦海，爲什麼我不能像乩童一樣，利用全身唯一正常的頭部，作爲發電機。當頭部抖動時，將動能傳送全身，這樣，亮亮便能夠感受晃動的舒適感。

為了製造高低落差，我坐在床上，在稍微還有一點力氣的右手下墊個枕頭。唯恐小孩碰到硬硬的骨頭不舒適服，我在手臂上再蓋一條毛巾被。老婆將寶寶抱入我懷中後，我立即展開「乩童顫抖法」，沒想到寶寶竟乖乖就範，並未出現之前的蠕動不安。

並且，睡覺、醒時，兩相宜。

哇！頓時我喜不自勝，終於找到可以抱自己小孩的方法了。老婆也可以利用這段時間，趕緊處理洗衣、洗碗、掃地的家務事。老婆問我手酸嗎？當然不會，我的高興早蓋過了手酸之苦。我知道，寶寶願意在我懷中的時間有限，再怎麼樣總是老婆抱起來舒服，很快地，寶寶又會回到媽咪的懷中，即使是這樣，我也已經心滿意足了。

我認識一對撐著雙拐的夫婦，他們自己也有一套「乾坤挪移法」。譬如要將嬰兒從客廳抱到房間，兩人先站好，先生將手中的嬰兒交給身旁的太太，太太接過嬰兒後，先生再移動身子至太太的身旁，然後，太太再將嬰兒交給先生。就這樣，利用移位的方式，朝著房間的方向，緩步移進。

若是遇到高低落差問題，這也難不倒他們，其中一人坐著，抱起嬰兒後，再交給一旁站著的另一半，這樣困難就可以迎刃而解。

無論是「乩童顫抖法」或是「乾坤挪移法」，有些人聽完後，覺得好辛苦！或許別人看似辛苦的事，對我們來說，反而會慶幸尋獲解決問題的方法。

電影「侏儸紀公園」一片中曾說：「生命，總會找到它的出口。」同樣的，殘障也一樣可以找到生存之道。

自從有「乩童顫抖法」後，我也可以加入抱抱一族，爲老婆多分擔些勞苦重擔了。

從心動到行動

亮亮寶貝，老爸要說一個寓言故事給你聽，這是我去演講，經常在ending時引用的一個故事。

從前，在一個國家裡，有三兄弟，他們各有一些法寶與超能力。大哥有雙千里眼，千里之外的任何事物都能看得一清二楚、一目瞭然；二哥的法寶是一張飛毯，乘坐其上，想去哪裡就可以去那裡；三弟有顆蘋果，這蘋果是能夠醫治任何疑難雜症的神奇蘋果。

有一天早晨，大哥起床後在户外運動，並不時用他的千里眼東張西望。此時，他發現在有一個國家，一群人在爭相觀看國王貼出的告示，內容大意是：國王的女兒，也就是公主，罹患一種怪病，御醫束手無策，眼見公主命在旦夕，若有人能醫好公主的病，國王就把公主許配給他。

大哥看完告示後，趕忙喚醒尚在睡夢中，還流著口水的兩個弟弟：「喂，趕快起床了，有好康ㄟ代誌告訴你們。」於是，大哥便將自己的千里眼所見一五一十說給出來，原本還在抱怨擾人清夢的弟弟們，聽完之後，立即清醒過來，眼睛瞪得斗大。然後，兄弟三人搭乘著二哥的飛毯，飛也似地到了那個國家。在求見國王，說明來意後，三弟拿出蘋果給公主吃，公主吃完蘋果後，病情開始好轉，怪病很快消失，又恢復了生病前快樂、充滿活力的樣子，眾人見狀，無不歡欣鼓舞、拍掌叫好。

正當大家在慶賀之際，國王反倒苦惱了，因爲這三兄弟都有功勞，那麼公主應該許配給誰呢？如果不是大哥的千里眼，是不可能發現這個「好康」的事情，大哥沒有「暗摃」，願意與大家分享，足見他的胸襟寬闊，不是個自私自利的人，所以，他有功勞是毋庸置疑的。再說二哥，當時並沒有「飛機」，唯一的交通工具是馬匹或騾子，若非借助飛毯，最後就算抵達目的地，也是緩不濟急，或許公主早已身亡，墓旁叢生的野草搞不好長得比人還高。所以二哥及時趕到，也功不可沒。最後，光有千里眼、飛毯，若缺少小弟的神奇蘋果，公主的病依然無法康復，所以他的功勞當然也不可小覷。

由於，三個兄弟各有功勞，令國王左右爲難，不知該將公主許配給誰？然而，國王畢竟是國王，才智過人，見解獨到。最後決定將公主嫁給三兄弟中的老么，也就是擁有神奇蘋果的小弟。

這是個寓言故事，其中蘊含了兩個重要的意義。

第一，三弟的整顆蘋果都被公主吃掉了，所以，他變得一無所有，而大哥的千里眼與二哥的飛毯，並不會因爲公主不嫁給他，而喪失寶物的法力。

第二，也是這個故事的精髓所在，大哥的千里眼象徵著人生的「方向」。俗話說得好——「努力的程度，不如努力的方向」。人生的方向錯了，即使加倍努力，最後的成果往往事倍功半，或功虧一匱。

譬如一輛性能卓越的跑車，有一位一流的駕駛，現在目的地是前往台中，正確的方向應該是南下，然而卻錯走成北上。試想，此時此刻就算有好車子、好技術，可是方向錯了，就得繞台灣大半圈才會抵達目的地。由此可見「方向」的重要。

接下來是二哥的飛毯，象徵著人生的「目標」。如果說方向是大範圍的確認，那麼目標即是集中點的鎖定。曾聽過這樣的比喻：依靠風力而前進的帆船，若缺乏目標，那麼任何一種吹向船身的風，都是逆風，而非順風。另外，古人王陽明曾說：「志不立，天下無可成之事。」這句話中的「志」，也就是「目標」，可見沒有目標根本無法成事。最後，來說三弟的蘋果象徵著什麼？想想看，有什麼比之前所提的「方向」、「目標」更重要的？

三弟的蘋果象徵「實踐」，也可以說是「行動」。

從什麼地方到什麼地方，是最近的距離，也是最遠的距離？這是我經常會問的一個問題。每個人都有不同的答案，我的答案是「從心動到行動」。當人心動時，立刻化爲行動，就是最近的距離。當然也有人是心動時，卻邁不出行動的第一步，可能是一天、十天、一年、十年……，甚至於到了白髮蒼蒼、齒牙動搖時，他還是沒有付諸行動，這就是最遠的距離。所以我說「從心動到行動」是最近，卻也是最長的距離。

以我自己來說，沒有傲人的學歷，更要面對重度殘障所帶來的種種不便與挫折，如今，仍能夠擁有自己的一片藍天，我想絕非天資聰穎，也不是毅力過人，我唯一的法寶就是「化心動爲行動」，這也可以說是我人生一路走來的寫照。當我一有動念時，就立刻邁出行動的步伐，即使失敗了，至少向成功又邁進了一步，若是成功，那麼人生的境界又將不同。如果沒有採取行動，成功或是失敗永遠被藏匿在暗無天日的地窖中，拖久了，還是會跌落失敗的萬丈深淵。

英國學者培根曾說：「知識就是力量」，我想再補充一句，知識倘使缺乏「行動」的催化，那麼知識可能變成侏儒。

不論是警廣的同事，或是廣青的夥伴，他們對我曾有這樣的形容：「你是一個最缺乏行動，卻最有行動力的人。」

總之，一百個理論，遠不如一個具體的行動。人生的成績單不是你知道多少，而是你做到了多少。

亮亮寶貝，老爸不知將來能夠留給妳多少遺產，可是，如果妳能學會我這一套「化心動爲行動」神功，將會帶給妳許多有形或無形的財富。

點亮心希望

每每走在大街小巷，對於活潑可愛的嬰幼兒，清純秀麗的小女孩，亭亭玉立的大女生，總會不由自主的多看幾眼，我並非「豬哥」，之所以會有如此的舉動，是希望亮亮未來成長的過程中，能夠有像她們一樣的臉蛋。

兩個多月前，參加一對殘障夫婦的兒子喜宴。孩子在讀小學時，老師發現無論是晴天或雨天，他的書包中都會放著一把雨傘，於是老師好奇地問他為什麼會這樣，他說：「媽媽說，因爲她的行動不方便，無法像其他的媽媽一樣幫我送傘來學校，所以，就把傘隨時放在我的書包裡。」

席間，看望著夫婦倆臉龐堆滿著笑容，喜氣又滿足的樣子，他們的確值得歡喜，因爲含辛茹苦地把這個唯一的孩子撫養長大，又見他走上紅毯的另一端，身爲父母的怎麼可能會不高興呢？敬酒時，帶著幾分醉意的老爸，提高嗓門地說「接下來，我就等著做阿公了。」

此情此景，讓我想到了亮亮。

我希望能看著他走路、說話、開始上學、交男朋友、結婚生子……

普遍說來殘障朋友的壽命會比一般人短少。尤其，像我這樣的重度殘障又有嚴重地脊椎側彎，勢必會對心肺功能造成影響。以前，曾有醫師表示，像我這般情形，大概僅能活到三十歲，如今我四十三歲了，最高興的是我多活也多賺了十三年的時間。

現在，亮亮出生了，讓我更有活下去的目標與希望。

國家圖書館出版品預行編目資料

天上掉下來的禮物／
劉銘 著.－－
初版.－－臺北市：大塊文化，2004【民93】
面；　公分.－－(smile；56)
ISBN 986-7600-34-7(平裝)

855　　　92023689

105 台北市南京東路四段25號11樓

廣　告　回　信
台灣北區郵政管理局登記證
北台字第10227號

大塊文化出版股份有限公司　收

地址：□□□ ＿＿＿＿＿市／縣＿＿＿＿＿鄉／鎮／市／區

＿＿＿＿＿路／街＿＿＿段＿＿＿巷＿＿＿弄＿＿＿號＿＿＿樓

姓名：

請沿虛線撕下後對折裝訂寄回，謝謝！

大塊 LOCUS 文化

編號：SM 056　書名：天上掉下來的禮物

讀者回函卡

謝謝您購買這本書，爲了加強對您的服務，請您詳細填寫本卡各欄，寄回大塊出版 (免附回郵) 即可不定期收到本公司最新的出版資訊。

姓名：____________________ **身分證字號**：____________________

住址：____

聯絡電話：(O)____________________ (H)____________________

出生日期：______年______月______日 E-mail: ____________________

學歷：1.□高中及高中以下 2.□專科與大學 3.□研究所以上

職業：1.□學生 2.□資訊業 3.□工 4.□商 5.□服務業 6.□軍警公教 7.□自由業及專業 8.□其他________

從何處得知本書：1.□逛書店 2.□報紙廣告 3.□雜誌廣告 4.□新聞報導 5.□親友介紹 6.□公車廣告 7.□廣播節目8.□書訊 9.□廣告信函 10.□其他__________

您購買過我們那些系列的書：

1.□Touch系列 2.□Mark系列 3.□Smile系列 4.□Catch系列
5.□幾米系列 6.□from系列 7.□to系列 8.□home系列 8.□kodiko系列

閱讀嗜好：

1.□財經 2.□企管 3.□心理 4.□勵志 5.□社會人文 6.□自然科學
7.□傳記 8.□音樂藝術 9.□文學 10.□保健 11.□漫畫 12.□其他_____

對我們的建議：____

____

____

LOCUS

LOCUS

LOCUS

LOCUS